LES QUATRE FILS
DU DOCTEUR MARCH

Quand, à sa sortie de prison, Jeanie, qui n'a plus que l'alcool comme refuge, est miraculeusement engagée comme bonne à tout faire par la respectable famille du docteur March, elle ne se doute pas que ses ennuis ne font que commencer.

Bien sûr, si elle n'avait pas succombé à la tentation de fouiller dans la garde-robe de Madame et d'essayer son superbe manteau de fourrure, elle n'aurait jamais découvert le journal intime caché dans la doublure. Si elle n'avait pas été si curieuse, elle ne l'aurait pas lu. Et, bien sûr, si elle ne l'avait pas lu, elle ne serait pas tombée sur les confidences d'un meurtrier racontant dans le menu détail ses abominables crimes.

Mais il est désormais trop tard pour faire marche arrière : elle sait maintenant que l'un des quatre fils du Dr March est un monstre qui vit là, juste à côté d'elle. L'un des quatre, mais lequel ?

Entre sa peur maladive des flics et la peur d'être la prochaine victime, Jeanie décide finalement de démasquer elle-même le coupable. Ne se fiant pas à sa mémoire embrumée par l'alcool, elle consigne par écrit les progrès de son enquête et le meurtrier, qui a trouvé ses notes, ne tarde pas à comprendre qu'il est en danger. Alors, chacun lisant le journal de l'autre, commence un cruel et morbide jeu de cache-cache.

Née à Cannes en 1956, Brigitte Aubert n'est pas une novice dans l'art subtil de faire peur. Auteur de nombreux scénarios, elle est aussi productrice de courts métrages, dont l'adaptation de son Nuits noires, *nouvelle primée au concours « Série noire TF1/Gallimard » de 1984. Elle a publié dans la collection « Seuil Policiers »* La Rose de fer *(1993)*, Ténèbres sur Jacksonville *(1994)*, La Mort des bois *(1996) qui a obtenu le grand prix de Littérature policière*, Requiem Caraïbe *(1997)*, Transfixions *(1998) et* La Morsure des ténèbres *(1999)*.

Brigitte Aubert

LES QUATRE FILS DU DOCTEUR MARCH

ROMAN

Éditions du Seuil

TEXTE INTÉGRAL

ISBN 2-02-036715-7
(ISBN 2-02-017291-7, édition brochée
ISBN 2-02- 022092-X, 1re publication poche)

© Éditions du Seuil, 1992

1

Ouverture

Journal de l'assassin

La première fois... Non, d'abord, je voudrais vous dire bonjour. Bonjour, chers amis. Chers nouveaux amis. Bonjour, cher journal secret. Bonjour, cher moi secret qui décide aujourd'hui de raconter ma vie et celle de notre famille.

Mais ce dont j'ai surtout envie de parler, c'est de « ça ».

La première fois, j'avais... inutile de préciser l'âge exact, disons que j'étais un enfant. Un gentil petit enfant. Elle aussi, c'était une enfant. Elle portait une robe, une robe en acrylique rouge, d'un beau rouge vif. Je savais que ça brûlait rudement bien, l'acrylique, comme une torche.

Quand j'ai mis le feu à sa robe, elle a crié, puis elle a brûlé. Je l'ai regardée brûler jusqu'au bout. Elle était toute boursouflée et les yeux lui sortaient de la tête. Je m'en souviens encore très bien, et pourtant, j'étais tout gosse. Mais j'ai toujours eu une excellente mémoire.

J'aimais bien la voir brûler. Je savais qu'elle allait

mourir. J'aimais bien ça. J'aime bien ça. Donner la mort. La mort.

C'était la première fois. Ensuite, Maman est venue et m'a pris dans ses bras. Maman nous aime tous très fort. Elle est très gentille, très douce. Elle pleurait. Je me suis demandé si elle pleurait parce qu'elle savait.

Je ne voulais pas faire de mal à Maman.

J'ai quitté les bras de Maman, elle avait les bras collants à cause de la sueur. Je me suis éloigné pendant qu'elle restait là, à pleurer. Puis je suis revenu avec les autres. Maman pleurait toujours, assise par terre. Elle n'a rien dit. Elle n'a rien dit non plus quand j'ai recommencé.

J'ai envie de le dire. J'ai tout le temps envie de le dire. J'ai recommencé plusieurs fois. Ça me fait toujours autant plaisir, tu sais, mon journal secret, ça me fait toujours autant plaisir de tuer. Ils disent que ça fait mal. Que c'est mal de faire mal. Qu'est-ce qu'ils y comprennent ? C'est bon de faire mal. C'est très bon, j'aime ça.

De toute façon, je ne peux pas m'empêcher de le faire. Pas parce que je suis fou. Mais parce que j'en ai envie : ça me rend trop malheureux de me retenir. Il faut que je le fasse.

Mais il faut aussi que je fasse attention. Parce que je suis grand, maintenant. Ils m'emmèneraient. Maman ne pourrait pas les en empêcher. Surtout qu'elle est devenue vieille et idiote.

Je ris parce que je m'imagine que quelqu'un pourrait lire mes notes. Je les cache bien. Mais il y a toujours des fouineurs. Ils seront bien attrapés. Attention, fouineurs, méfiance, l'ennemi vous guette.

Je ne suis pas si bête, je n'écris que quand je suis tout seul. Et je ne vais pas me décrire. Dire mon nom, tout ça. Non, aucune marque d'identification. Je suis comme un cadavre qu'il faut cacher au fond d'un placard.

Je sais que c'est dangereux de tout écrire. Mais j'en ai envie. Je ne veux plus garder tout ça pour moi, et puis... j'ai aussi envie de parler de nous, de notre famille.

M'identifier... ils ne le pourraient pas.

Je ne peux parler à personne. C'est normal, puisque je ne suis personne. *Mémoires de Personne*, c'est marrant, ça, comme titre.

Dans la famille, nous sommes quatre. Quatre garçons. Papa est médecin. Nous, nous sommes Clark, Jack, Mark et Stark. C'est Maman qui s'est amusée à nous appeler comme ça. Nous nous ressemblons beaucoup. C'est normal puisque nous sommes jumeaux, si je peux dire. Oui, nous sommes tous nés le même jour. A l'époque, nous avons fait la Une de tous les journaux. Quatre beaux garçons. Nous sommes forts, bruns, bouclés, avec de grandes mains. Nous ressemblons à Papa. Maman est petite : elle a la peau rose, de vilains cheveux châtains, avec du faux blond par-dessus, et les yeux bleus. Comme Papa. Nous avons tous les yeux bleus. Nous sommes une famille unie.

Je sais que, si on se spécialise, ils arrivent à vous retrouver. Moi, je tue n'importe qui, avec n'importe quoi. Je ne suis pas un maniaque. Ce qui compte, c'est qu'elles meurent. Quand elles meurent, je dois me retenir pour ne pas glousser de joie, pour ne pas crier de plaisir. Je tremble. Même d'y penser, là, j'ai les doigts qui tremblent.

Clark veut faire médecine. Jack est au Conservatoire. Mark est stagiaire chez un avocat. Stark prépare son diplôme d'électronique.

Et moi, je suis l'un d'eux.

Et j'ai les mains pleines de sang.

Ça m'amuse. C'est ça qui m'amuse. C'est comme un jeu. Cherchez l'erreur. Je suis très très bien imité.

Clark fait partie de l'équipe de football de la fac de médecine. Il est très fort, brutal, costaud, un vrai taureau. Jack, lui, n'aime que son piano, il est timide, rêveur. Mark, par contre, est calme et sérieux. Propre. Il veut être juriste, il n'aime pas plaisanter. Stark, enfin, est cinglé. Emporté, brouillon, distrait. Un lunatique. Il travaille sur des circuits informatiques, des trucs d'ordinateur.

Nous avons chacun notre chambre. Nous avons chacun nos habitudes. Nos manies. Et, quand Maman nous regarde, elle semble nous aimer tous autant. Moi, je l'aime bien, Maman. Enfin, je crois. Ce n'est pas très important d'aimer.

Le temps passe vite. Il faut que je range ça, que je le cache. Voyons… Ah oui ! Papa va rentrer : il est 19 heures 42. Je crois que ça m'a fait du bien de parler avec toi, petit journal. Je me sens plus calme.

Journal de Jeanie

Ce n'est pas possible, je ne peux pas le croire. Je repense à ces notes, j'en suis toute retournée.

Je suis toute seule dans ma chambre, tout le monde est couché. C'est parce que je rangeais sa chambre à elle. Elle était en bas. Elle regardait la télévision. J'ai voulu essayer le manteau. C'est bête, d'accord, mais avoir un manteau en fourrure quand on ne sort pas, c'est idiot, non ? Et elle, depuis son attaque, elle sort jamais. C'est même pour ça qu'ils ont eu besoin d'une bonne, parce qu'il faut pas qu'elle se fatigue. Le manteau, il m'allait bien, un peu petit. Un peu court. Je l'ai enlevé, j'ai regardé s'il y avait de quoi l'allonger. Je sais que c'est stupide puisqu'il n'est pas à moi. Je ne sais pas, c'était machinal. Il y avait quelque chose dans l'ourlet. J'ai regardé. C'était ça. Cette horreur. J'ai tout remis en place exactement. S'il s'aperçoit que quelqu'un y a touché…

Je suis redescendue. Ils étaient tous là. Monsieur Samuel m'a dit d'apporter du brandy. Ce qu'il peut en boire ! Elle, elle riait toute seule en tricotant. Je crois qu'elle est un peu fêlée. Eux quatre, ils regardaient la télé. C'était affreux de savoir ça et de les voir, tranquilles, devant la télé. Qu'est-ce que je vais faire ?

Je vais me faire virer, voilà ce que je vais faire. Si je me mêle de ce qui me regarde pas… Quand même, il faut faire quelque chose. Mais donner quelqu'un aux flics… Je ne peux pas. On peut pas faire ça quand on a passé deux ans en taule.

Salaud, pourri, dégueulasse ! J'ai une trouille bleue. Il va savoir que j'ai trouvé son secret et il va me tuer. Il va me brûler vive, il va me passer à la centrifugeuse, j'ai fermé la porte à clé. Heureusement qu'ils ne s'occupent pas beaucoup de moi. J'entends marcher. Fausse alerte. Il faut réfléchir. D'abord, savoir qui c'est. Non. Non. Fermer les yeux. Ne plus s'occuper de rien. Laisser faire. Pas vu, pas pris.

Mais je ne peux pas rester comme ça sans savoir. Pourquoi je suis venue dans ce bled de tarés ? D'accord, c'était pas possible de rester là-bas, vu ce qui s'était passé. J'ai vraiment pas de chance. A moins que je ne montre ce « journal » au docteur. Il décidera, lui... de me mettre à la porte pour m'apprendre à fourrer mon nez dans leurs culottes sales. Je vais aller dormir.

Journal de l'assassin

Aujourd'hui, je vais parler de Jack. Jack est doux, avec des yeux dans le vague, un peu taciturne. Il rougit tout le temps. Il pense beaucoup aux filles, mais il n'ose pas leur parler. Il n'a pas d'amis. Secret, renfermé, complexé. Bon profil pour un tueur. A vous de juger. Il compose des mélodies. Tristes. Il est gentil avec Maman. Et avec Jeanie (c'est la bonne). Une brave fille, je crois. Elle boit un peu trop. Mais elle est serviable.

Ça fait un moment que je me tiens tranquille. Je crois que j'ai envie. Je le sens venir. Il faut que je trouve quelqu'un. J'avais pensé à Jeanie, justement. Mais c'est trop près. Je ne veux pas éveiller la méfiance. Pas si bête. Il faut que je trouve. Et vite. Mais qui ?

Jack mesure 1,95 mètre. Il est mince, avec les cheveux assez longs. Il porte des écharpes de couleur et il a toujours un livre sous le bras. Quand il était petit, on l'appelait « la fille », mais c'est quand même un costaud. On est tous costauds. Voilà pour Jack.

(Je suis préoccupé.) Clark, lui aussi bien sûr, est très grand. Comme il est supermusclé, on dirait un géant. Il parle fort, il bouge beaucoup, il frappe facilement. Ce n'est pas un refoulé, ça, non ! Mais on ne sait jamais ce qui peut l'énerver. J'imagine que, si un petit curieux me lisait un jour, il chercherait très fort dans sa tête, mais il ne pourrait jamais savoir.

« Je suis un tueur, pas un imbécile. » J'aime bien cette phrase.

Maman radote de plus en plus. Ses cachets l'abrutissent complètement. Papa est toujours distrait. Comme Stark. Stark le savant. J'aime parler de nous. J'aime penser à nous. J'aime penser à l'un de nous. Bien caché, souriant. Poli. Assassin. J'aime bien me dire ça : assassin.

Maman veut que nous allions rendre visite à Tante Ruth. C'est assez loin d'ici. En route, je trouverai peut-être de quoi m'amuser.

Journal de Jeanie

Ils sont partis ce matin, très tôt. Ils vont déjeuner chez leur tante.

Je suis montée chez la Vieille, j'ai regardé dans le manteau et j'ai vu qu'il allait essayer de faire ça pendant le voyage. La Vieille chantonne dans son bain.

J'écoute pour savoir si tout va bien. On sait jamais. Pauvre femme... Pas comme la mère Ficks. Quelle ordure, celle-là ! Avec tout son fric qui traînait partout. Tout ce fric étalé sous mon nez... On n'est pas de bois, tout de même !

Il faudrait interrompre leur voyage. Le docteur ne rentre pas ce soir. Il va à un récital de poésie. Un récital de poésie ! Enfin, ça le regarde. Les garçons ont téléphoné qu'ils ne rentreront que demain, ils vont faire halte parce qu'il pleut à verse. En ce moment, ils doivent être vers Demburry. Ils vont sûrement s'y arrêter pour casser la croûte.

Oh, Jésus, Jésus ! C'est pas possible, faut faire quelque chose ! J'ai beau me dire que c'est vrai, j'arrive pas à y croire. Ça ne peut pas être le Jack, il est si mignon. Et le gros Clark est trop brutal, trop simple. Encore que ça ne veuille rien dire : Michèle, elle était simple, et elle avait bien égorgé ses trois gosses...

Ce qui est sûr, c'est que c'est un malade.

Forcément qu'il est gentil et tout... forcément. Mais les yeux. Pourquoi ça ne se voit pas quand il vous regarde ? J'ose plus regarder les garçons dans les yeux, j'ai peur que le fou devine à mon regard que je sais quelque chose. Mais quand même. Quand même, quand même, c'est moi qui vais perdre la boule. Dire que je pourrais vivre avec un gentil garçon, un gentil mec à des milliers de kilomètres d'ici. Je suis jeune, je suis jolie, qu'est-ce que je fais à perdre mon temps dans un repaire de tueurs ? J'arrive même plus à blaguer. Ça m'énerve. Faut plus que j'y pense, c'est tout.

Journal de l'assassin

C'est fait. C'est bon. Je l'ai fait.

Je me rappelle tout bien, du début à la fin. Hier soir, on s'est arrêtés à Demburry. Il pleuvait à verse. On était crevés. On a baissé les sièges pour dormir. On est allés dîner. Il y avait une fille. Jolie. Toute seule. Toute seule à une table. On a plaisanté. Clark l'a invitée à se joindre à nous. La fille a refusé. Elle me plaisait bien. Elle était attirante. Stark a dit qu'il ne pleuvait plus. On est partis. On s'est couchés. Au bout d'un moment, tout le monde dormait. L'un de nous s'est levé doucement. Très doucement.

Je suis allé dans une cabine téléphonique. J'ai demandé le drugstore. Je voyais la fille à travers la vitre.

Elle mangeait un hot-dog. Le patron l'a appelée. Je l'ai invitée à boire un verre. Elle a demandé qui j'étais. Je le lui ai dit. Elle a demandé d'où j'appelais. Je le lui ai dit aussi. Elle a regardé à travers la vitre et elle a ri. C'était gagné.

Elle a payé, elle est sortie, je l'attendais au coin de la rue. Il s'était remis à pleuvoir. Très fort. On a couru.

15

On s'est abrités sous un porche. Un porche sombre. C'est calme, les petites villes, le soir. Personne dans les rues.

J'ai pris le tournevis dans ma poche, sous mon blouson, je l'ai embrassée, on s'est un peu caressés, j'avais la peau toute hérissée. Elle a touché mon… elle m'a touché avec sa main mouillée de pluie, je lui ai enfoncé le tournevis dans le ventre, jusqu'au manche. J'ai appuyé sa bouche sur mon épaule, je sentais ses dents, tout son corps s'est raidi, je la tenais bien. Elle avait sa main crispée sur moi, c'était agréable. J'ai joui dans sa main et puis elle est morte. Je l'ai lâchée.

Elle est tombée. J'ai remonté mon col. J'ai essuyé le tournevis sur sa jupe. Je suis parti. Je suis retourné au break. L'un d'eux m'a lancé : « Qu'est-ce qu'il y a ? » Je lui ai répondu : « Je suis allé pisser. » Il faisait noir comme dans un four. Ce matin, on est repartis, et nous voilà à la maison.

Je me sens tout joyeux.

J'ai hâte de lire les journaux pour suivre les progrès de l'enquête ! Pas si bête. Ils ne trouveront rien. J'ai jeté le tournevis. Je suis propre. Neuf. Un vrai enfant de chœur.

Maman a dû sentir quelque chose. Elle m'a regardé et a soupiré. Pauvre Maman. Je l'aime. Un peu.

Jeanie aussi était bizarre. Elle était peut-être saoule. Elle a fait de la prison. Elle croit que personne n'est au courant, mais moi je le suis. Et je sais aussi autre chose sur elle. Une fois où elle se croyait seule (Papa avait emmené Maman chez le cardiologue, j'étais ici, dans la chambre de Maman, je regardais ses robes), je l'ai entendue parler au téléphone. Elle disait qu'elle devait se cacher. Elle avait peur de la police. Elle parlait d'une Mme Ficks, une « salope pleine de fric ». Elle disait à la personne au bout du fil de ne surtout pas lui écrire, ni rien. Je crois qu'elle avait bu. J'ai réfléchi. Je pense que c'est une voleuse. D'ailleurs, je la surveille mine de rien. On n'aime pas les voleurs, ici.

Mais, aujourd'hui, je suis trop content pour être sévère. Pour peu qu'il y ait des frites au dîner, ce sera le plus beau jour de ma vie. Je vous embrasse tous, imbéciles qui ne me lirez jamais.

Journal de Jeanie

Il l'a fait. Il a fait cette chose.

Ils ont tous mangé de bon appétit. J'avais préparé du poulet et des frites. C'est elle qui m'avait dit d'en faire. Elle… C'est pour ça, pour lui, pour son monstre ! Elle sait qui c'est et elle l'aime, elle le chouchoute. Il éventre des pauvres filles et elle lui fait des frites !

Oh, mon Dieu, si vous n'avez rien à faire de spécial aujourd'hui, faites qu'ils meurent ! Tous les quatre. Dans un incendie. Je vais foutre le feu à la baraque. Je crois que j'ai jamais eu autant la trouille qu'en voyant mon nom dans les papiers d'un fou. D'un fou qui me surveille parce que je suis une voleuse. Et lui… non mais c'est dingue !

Il faut que j'aille à la police. Je leur dirai, pour le meurtre. Ils feront une enquête. Sur eux. Sur moi. Ils me mettront en sûreté. Au frais. Pour deux ou trois ans.

Ou plus, vu qu'on est pas tendre pour les récidivistes. Tranquille, quoi. Je suis coincée. C'est ça qui m'énerve : je suis coincée. Qu'est-ce qu'il va faire, maintenant ? Combien il va en descendre ?

Chaque fois que je monte là-haut, j'ai le cœur qui bat la chamade. Je crois qu'il est sur mes talons, je crois qu'il lève les bras, je vais me retourner, le couteau s'enfoncera dans ma gorge et je verrai ses yeux de fou. Les yeux de Clark ou de Mark ou de Stark ou de Jack. Les yeux de l'amateur de frites. L'amateur de frites, c'est une piste, ça...

Je réfléchis. Dommage qu'ils se ressemblent tellement.

Clark aime les frites. Ça, j'en suis sûre : il m'en pique toujours dans la cuisine. D'ailleurs, ils piquent tous dans le frigo dès que j'ai le dos tourné, comme s'ils s'empiffraient déjà pas assez à table ! On vient à peine de faire les courses qu'il faut recommencer. Et qui c'est qui jette les boîtes de lait vides et les emballages de céréales, le matin ? Bravo, vous avez deviné.

Où j'en étais ? Des frites, Jack en a repris deux fois, non, trois. Il les mange par grosses bouchées avec du Ketchup. Après, il prend l'air rêveur du type qui médite un concerto bourré de triples croches, mais, en attendant, il se goinfre bel et bien ! Stark a dit : « Chouette, des frites ! » Il a fait craquer ses doigts et a embrassé sa mère. Pour lui dire merci ? Mark était plus réservé. Mais il en a repris, lui aussi. Et il a bu du vin. D'habitude, il n'en boit pas. Parce qu'il dissimule peut-être tout, ses goûts, tout ça ? Il est peut-être tout le temps en train de jouer un rôle au cas où... Il a bu du vin. Pour fêter quoi ? Le docteur était content, pour une fois. Il riait. Ça devait être bien, le récital de poésie, hier !

Bande de pourris. J'ai envie de boire quelque chose de fort. Mais j'ai peur de descendre. Je suis sûre qu'il rôde la nuit partout, avec de sales idées dans la tête. De sales idées dans les mains. Ça me donne le frisson. Ce que je boirais bien un peu de gin !

Journal de l'assassin

Je m'ennuie. On ne parle plus de la fille dans les journaux. Comme c'est les vacances, nous sommes tous ici à tourner en rond. On passe toujours nos vacances tous ensemble, comme une famille unie. Maman est contente, elle chantonne, elle tricote, elle me sourit d'un air triste.

Papa n'est jamais là. Clark dit qu'il a une maîtresse. Mark prend un air gêné. Il est prude, Mark. Jack joue du piano et écrit des chansons. Stark est tout le temps dans sa chambre, à bricoler. On est sages. On regarde la télé. Jeanie dit que ça rend idiot, la télé. Elle, en tout cas, elle ne risque plus rien.

Jack a dit à Papa qu'on était à Demburry le soir du meurtre. Clark a dit oui, qu'on avait eu de la chance, on aurait pu tomber sur ce dingue. Stark a dit qu'on avait vu la fille au bar et Mark a dit qu'elle était très séduisante. On était tous affligés. Je riais en dedans. Je les regardais, tous avec leurs têtes de circonstance, et je riais.

Mais j'étais qui ? J'étais qui ?

Cherchez bien, sales fouineurs ! Pas si bête, vous ne le saurez jamais.

Journal de Jeanie

Il suffirait que je prenne ces notes et que j'aille au commissariat. C'est simple. Oh, Jeanie, Jeanie, tu n'es qu'une poule mouillée, une lavette, une criminelle !

Je bois trop en ce moment, il faut que j'arrête. D'autant que ce gin en solde est dégueulasse.

Ils restent tous vautrés à la maison avec cette foutue télé ! C'est pas des quadruplés, c'est des siamois ! Toujours collés ensemble, des gosses qui vont avoir dix-huit ans ! Toujours dans mes pattes, à surgir là où on les attend pas, je crois en voir un à droite, il apparaît à gauche, chaque fois je sursaute. Elle, elle tricote. Le docteur a beaucoup de travail. Quand il rentre, il est grognon, il réclame à manger. J'ai un travail fou en ce moment. Ils veulent toujours quelque chose et le docteur a dit qu'il trouvait que le brandy partait vite. Il faut que je m'arrête un peu.

Cette histoire me tourne tout le temps dans la tête. Ça me rend dingue. Mais que fait la police ? Quelle bande d'incapables ! Tout juste bons à ficher de pauvres filles en taule ! Je devrais m'y mettre, au tournevis, tiens ! Les descendre tous et leur piquer leur pognon. Je dis n'importe quoi.

Il faut que je cache ce cahier. On ne sait jamais, s'il

vient fouiller ici. Ce serait plus simple de ne pas écrire, mais je ne peux pas garder tout ça pour moi. En les écrivant, les choses deviennent plus claires. Avec Martha, dans la cellule, on marquait tout ce qui nous arrivait, comment le temps passait et tout ça. Mettre les choses au clair. Ce qu'il faut faire, c'est réfléchir, me relire, tirer des conclusions. Je me relis.

Tout d'abord, j'ai l'impression qu'il ne s'attaque qu'aux femmes. Ça, c'est déjà quelque chose. Enfin, les deux meurtres dont il parle, c'est des femmes. Une gosse et une fille attirante, une fille qui lui plaisait…

Est-ce que je lui plais, moi ? Sûrement pas. Je ne suis pas sexy, je ne suis pas arrangée, j'ai plutôt le genre fermière, pas attirante, pas excitante… Encore que… Mais stop, ça, c'est le passé. Je veux dire qu'en fait j'ai l'impression que je suis pas son genre de cadavre. C'est déjà ça.

Ce qu'il faudrait, c'est que je lise des bouquins sur les dingues. Comme on avait à la bibliothèque, là-bas. Voilà une bonne idée. Trouver pourquoi il fait ça. Prévoir ce qu'il va faire. Si j'arrivais à l'en empêcher, pas besoin de mêler les flics à cette histoire.

Non mais, je débloque ! Je vais me mettre à soigner ce type au lieu de faire mes valises ? Jeanie, tu es malade, ma chérie ! Je ne sais pas quoi faire. Je suis désemparée. La fille, dans le feuilleton, elle disait toujours ça : « Je suis désemparée, Andy, mon chou. » Eh bien, moi aussi, ma chère !

Je vais prendre un clope, heu… 'scusez, milady, une cigarette.

Journal de l'assassin

Les vacances ne finiront jamais. Aujourd'hui, j'ai eu envie. Je suis sorti voir si je trouvais quelque chose d'intéressant.

Il y a bien une fille qui habite à côté mais elle ne me plaît pas beaucoup. C'est le genre gentille avec des nattes, un peu jeune pour moi. Maintenant, je suis un homme, ça ne m'excite pas de tuer des enfants.

Je préfère les filles de mon âge. Elles savent bien ce qu'elles cherchent. Ça me rappelle l'autre, à Demburry.

Quand j'ai très envie, je prends mon couteau et je me le passe dessus, jusqu'à ce que je me sente mieux. Un jour, j'en tuerai une comme ça. Je prendrai le couteau et je le lui enfoncerai de toutes mes forces. Tout le sang jaillira par sa bouche. J'aime bien me raconter ça.

Maman a l'air triste. On ne s'occupe pas beaucoup d'elle.

Mark écrit sa thèse. Clark révise ses examens. Jack compose un concerto. Stark se bricole un ordinateur. Papa est souvent absent et il sent le parfum. Mais je ne peux pas passer ma vie à consoler ma mère.

Demain, c'est notre anniversaire. On va avoir plein de cadeaux. Moi, je sais ce que ce serait, un beau cadeau, un très beau cadeau, un « morceau de roi », comme dit Papa en regardant les filles à la plage.

Pas comme Jeanie. Cette fille n'est pas très gracieuse, et toujours saoule. Je ne comprends pas pourquoi on la garde. Quand j'aurai une famille, je ne prendrai que des jolies filles pour servir à table, bien faites, souriantes. Pas des voleuses sorties des bas-fonds.

Il faut que je trouve quelque chose d'amusant pour cet anniversaire, pour pouvoir me marrer pendant qu'on sera tous là à manger du gâteau et à féliciter Maman. J'ai une idée.

Une bonne petite idée bien juteuse. Au revoir, cher journal, j'ai à faire.

Journal de Jeanie

Quelle saleté d'idée ça peut être ?

Ils sont tous allés au cinéma. Je suis seule avec la Vieille. La petite avec des nattes, ça doit être Karen, la fille des Blint. Je devrais leur téléphoner et leur dire. Leur dire : « Excusez-moi, je me suis trompée de numéro » avant que je me mette à débiter mes sornettes et qu'ils appellent l'asile.

Est-ce que l'« idée », ça pourrait être moi ? Non : heureusement, je lui plais pas. Sale petit vicieux. Heureusement qu'il me trouve trop moche… Et lui, il s'est vu ? Parce que tous les quatre, c'est pas pour dire, mais à part les muscles, hein… Quatre belles brutes, comme leur ordure de père.

J'aurais dû aller avec eux, leur coller au train, l'empêcher de le faire. Je suis complice, voilà ce que je suis, comme le type dans *Holocauste* qui faisait semblant qu'y dirigeait pas un camp de concentration mais un centre de remise en forme par le travail, ouais, je suis pareille que lui ! Tout ce gin me remonte dans le nez, c'est épouvantable. Espèce de lâche que t'es, Jeanie, poissarde et saoularde et pas foutue d'empêcher un cinglé de liquider toutes les filles qui lui tombent sous la main… Tu me déçois, ma fille, tu me déçois, tu me déçois.

Journal de l'assassin

Bonjour ! Maman est en train de faire un gâteau. Papa a téléphoné : il sera en retard pour le dîner. Sûrement qu'il fait des courses pour nous.

La petite d'à côté m'a dit « Salut » ce matin. Elle a l'air vicieuse et malsaine, avec des sourires en coin. Le genre de petite garce « qui fait marcher les hommes », comme dit Papa. Je n'avais pas le temps de m'occuper d'elle, mais je vais y penser sérieusement. Pour mon idée, c'est fichu. Ils sont partis à la campagne avec leur bébé. Dommage.

Je suis de bien mauvaise humeur. La grosse Jeanie me porte sur les nerfs avec ses manières de sale épieuse. Il faut que je m'arrange pour que Papa la foute à la porte. Hier, quand elle servait, elle sentait l'alcool. Avec ses yeux rouges, elle me déprime. J'aime les gens gais, moi. Il faut que j'y aille.

A bientôt, petit carnet secret, petit moi de papier.

Journal de Jeanie

Ordure. Essaie un peu de me faire foutre à la porte ! Le bébé, le bébé... ce doit être le petit Beary.

Un bel anniversaire qu'ils ont eu, les tarés. Pourris de cadeaux. S'ils attendaient que je leur offre quelque chose... Salopards... Le père est arrivé en retard. J'aimerais bien voir la gueule de sa traînée. Porc qui court les putes pendant que ses monstres assassinent tout le quartier. Je déteste ce stylo qui accroche.

Il faut que je me ressaisisse. Je regarde ma main écrire ces mots et je m'applique à bien écrire et à bien articuler dans ma tête.

Ça va mieux. Jeanie, ma fille, tu vas préparer un plan d'action. Premier point : la petite Karen. (C'est vrai qu'elle a mauvais genre, celle-là.) Question : comment la sauver ? Réponse : il faut voir. Bravo, quel excellent plan d'action, Jeanie, tu m'épates.

Aujourd'hui, pendant que je lisais, quelqu'un a monté l'escalier. J'ai fait un bond jusqu'à la salle de bains et vas-y que je brique, elle était nickel, la salle de bains, pour une fois... Mais personne n'est entré et c'est bien ce qui me fait peur. Très peur.

J'ai décidé que ce journal servirait de témoignage. Je vais noter tout ce qui se passe. Jusqu'à ce que je puisse coincer ce fils de p... Non, plus de gros mots, du chic et du bon genre : Jeanie, ma fille, t'es promue Sherlock Holmes, et pour commencer t'arrêtes de fumer comme un pompier.

Donc, surveiller Karen. Il n'osera pas si je traîne toujours par là. Il osera juste me foutre le feu peut-être, si je suis trop moche pour le tournevis. Quoi qu'il en soit, je verrai celui qui lui tournera autour.

Je me demande... si c'était une blague ? Non. Le journal n'a parlé du meurtre de Demburry que le lendemain de leur retour et, moi, j'avais déjà lu ses notes à ce sujet. J'ai envie de m'acheter un flingue. Il y a du bruit dans le jardin. Je vais voir.

Une ombre est passée, en bas. Mais c'est peut-être un chien. Il est minuit, il faut que je dorme. Je n'entends aucun bruit. C'était sûrement un chien.

...

Karen est morte.

Ce matin, la police est venue. Ils l'ont trouvée dans le jardin. Dans les poubelles. Il paraît que le corps est affreux à voir. Il y avait une couverture dessus et sa mère qui hurlait, jamais entendu hurler comme ça. Le père s'est évanoui quand ils le lui ont dit. C'est Bob, l'éboueur, qui l'a trouvée. Il a dégueulé tripes et boyaux et puis il a crié au secours, ils lui ont fait une piqûre à lui aussi.

Il pleut. C'est stupide de remarquer qu'il pleut quand une gosse vient de mourir. Mais il pleut. J'ai froid. Je voudrais m'en aller d'ici. Mais j'ai l'impression que je dois rester.

Pourquoi il ne l'avait pas écrit ? Pourquoi, pourquoi, pourquoi ?!! Un bel anniversaire... Quelle horreur ! Il l'a eu, son bel anniversaire.

Ça fait deux heures que je suis assise ici, à fumer et à regarder la pluie. Il n'y a pas de bruit dans la maison.

Ils sont tous dans leurs chambres. Hier soir, j'étais ivre. Et, ce matin, Karen est morte.

La Vieille n'a pas bougé. Elle hoche la tête en marmonnant. Elle tricote une couverture pour le canapé du salon. Elle n'est pas vieille, d'ailleurs. Quinze ans de plus que moi, c'est tout. Pourvu que dans quinze ans je ne sois pas comme ça !

Je ne sais pas quoi faire. Il faudrait que je puisse parler à quelqu'un. Un prêtre ? J'ai pas confiance dans les prêtres. L'aumônier de la prison, tu parles d'un fils de cochon !

Quand les flics sont venus, j'ai eu la trouille. Ils m'ont bien regardée. « Faut témoigner, a dit le grand, si vous avez vu quelque chose. – J'ai rien vu. – Bon, alors tant pis… » Ça sent vraiment mauvais pour moi. S'ils font des vérifications, je suis foutue.

2

Positions

Journal de l'assassin

Je crois que quelqu'un lit mes notes. Si tu es en train de me lire, qui que tu sois, méfie-toi. Méfie-toi, parce que je t'aurai.

Mon petit journal chéri, ça ne te plairait pas qu'on te regarde sans ma permission, qu'on passe les doigts sur ton encre et sur ton papier, qu'on caresse avec de sales mains les traces de moi que je laisse sur toi. Mon petit journal chéri, je te serre bien fort contre moi, contre mon... Personne ne te touchera.

Je suis content aujourd'hui, je suis très content. J'ai rangé la hache dans le garage, elle est propre, elle brille.

Tout le monde pleurniche dans le quartier. Ils disent que c'est un crime de sadique. Quand elle a été morte, je lui ai mis le manche de la hache et j'ai bien enfoncé, le plus loin que j'ai pu.

Si tu es en train de me lire, quelqu'un regarde peut-être par-dessus ton épaule. Peut-être que je suis là et peut-être que je vais te trancher la gorge. Ha, ha, ha !

Cette nuit, quand je suis passé dans le jardin, j'ai vu Jeanie à la fenêtre. Toujours à regarder là où y faut pas, hein, Jeanie…

La petite, j'ai gratté à sa fenêtre tout doucement. Elle s'est levée, elle est venue, avec les yeux brillants. Elle me ballottait sa poitrine sous le nez, avec sa petite chemise de nuit…

Maman nous a offert de beaux blazers bleu marine à boutons dorés. Jack a joué du piano, nous avons applaudi.

Nous avons chanté *Happy birthday to us* et j'ai pensé à Karen. Quand les bougies se sont éteintes, j'avais pris ma décision.

Je ne suis vraiment pas content de penser que quelqu'un pourrait me lire.

Journal de Jeanie

La police est revenue. Ils ont interrogé tout le monde de nouveau, et moi avec. Je crois qu'ils pataugent. La mère de Karen n'arrête pas de pleurer, c'est sa voisine qui lui fait ses commissions. Moi, je ne pleure pas, j'ai les yeux secs. Ça fait au moins dix ans que je ne pleure plus.

Ce matin, en épluchant les pommes de terre, j'ai essayé de réfléchir. Je ne comprends pas comment il a deviné que je lisais cette cochonnerie qu'il appelle son « journal ». Quand je pense qu'il se… avec. Maintenant, est-ce que je vais continuer à le lire ? Je ne peux pas rester ici sans rien savoir de ce qu'il prépare. D'un autre côté, que je le sache ou pas, je ne peux rien faire.

Aujourd'hui, je n'ai pas bu une goutte. J'ai les mains qui tremblent. Je relis mon cahier, j'ai l'impression d'être folle. Si je pouvais prendre ces notes et les photocopier… Que je suis bête ! Je n'ai qu'à fouiller dans leurs affaires et voir lequel a la même écriture. Jeanie, ma fille, tu es sublime quand tu veux ! Mais s'il te voit fouiller dans ses affaires… Et puis même, et après ?

Aller à la police avec les notes et un spécimen de son écriture (« spécimen », ça fait chic, ça, Jeanie…). Seulement, si je vais là-bas, j'écoperai de mes deux ans, et, ça, je ne veux pas, je ne veux pas retourner là-bas. Je préfère laisser crever des gosses innocentes.

Je ne sais pas quoi faire. J'ai peur d'aller voir dans la chambre parce qu'il doit me surveiller. Deux ans minimum : la vieille bique de Ficks me fera tirer le plus possible, et avec mon casier… Je pourrais peut-être tout envoyer par la poste…

Il y a quelqu'un derrière ma porte. J'en suis sûre. J'entends respirer. J'entends une respiration derrière ma porte. Elle est fermée à clé, je ne risque rien. Je n'entends plus rien, j'ai peut-être rêvé. Où est-ce que je pourrais cacher ce cahier ? Il faut que je trouve une nouvelle cachette.

L'enterrement de Karen est pour demain.

Journal de l'assassin

Aujourd'hui, nous sommes allés à l'enterrement. Même Maman est venue. Le cimetière, c'est sa seule sortie, elle oublie jamais d'aller porter des fleurs. Il y avait beaucoup de monde et ils pleurnichaient tous. Nous avions mis nos beaux blazers neufs, avec des cravates. Mais aucun de nous n'a pleuré, nous sommes des garçons. Maman s'appuyait sur Mark. Clark a une angine, il toussait sans arrêt, il a même dû s'éloigner un moment. Stark regardait ses chaussures pleines de boue et Jack se rongeait les ongles. Papa était très digne, très beau, il a serré les mains de la famille. Ils ont jeté de la terre sur le cercueil. Moi aussi. Je savais ce qu'il y avait en dessous, moi. Dans quel état c'était... Alors, lecteur, t'es content, t'en as pour ton argent ?

Tu veux que je te décrive tout en détail, hein : si elle a crié et tout ça, si je lui ai d'abord coupé les bras ou les jambes, hein ? T'es trop curieux, lecteur, tu n'as qu'à aller voir, elle n'est pas très loin, tu n'as qu'à creuser un peu la terre, elle t'attend, elle ne bougera plus, maintenant, elle n'excitera plus personne.

En tout cas, je n'oublierai jamais son regard ; finalement, c'était une des meilleures. J'entends Maman qui nous appelle pour aller dîner. Je vais me laver les mains.

Journal de Jeanie

Je les ai servis à table. Jeanie par-ci, Jeanie par-là… Le docteur a bu une bouteille de vin rouge, il parlait fort, il criait contre les communistes. Je ne vois pas le rapport avec Karen.

Madame était gentille, elle m'a fait des compliments sur le rôti, elle n'a eu le temps de s'occuper de rien avec cet enterrement. Gentille ? Elle essaye de couvrir son monstre, oui ! Je n'ai encore rien bu aujourd'hui. Mais, là, j'ai trop soif, j'ai droit à une goutte de brandy, les morts, ça me creuse, faut du sucre pour me remettre.

…

J'ai bu. Ça va mieux. Je vais lui piquer son journal et l'envoyer à la police. Et puis je prends le train de midi, et direction le Sud. Adieu, Jeanie. Ils feront une battue pour me retrouver pour le témoignage et tout… et un fermier ivre me tirera une balle dans la tête. Non, Jeanie, pas de mensonges, ils t'amèneront témoigner, c'est tout, et, peut-être même, ils te trouveront pas. En attendant, des tas de braves filles te devront la vie sauve. Je serai un sauveur national. Jeanie Wonderwoman, la fille chérie de l'Amérique ! Ce brandy est vraiment fameux.

Il fait chaud, j'étouffe, j'ai ouvert toutes les fenêtres, mais on crève de chaud et, avec ce vent qui tourne, ça m'énerve.

Journal de l'assassin

Bonjour ! Le vent est tombé, il pleut. Il pleut sur le cimetière. Il y en a pas mal à moi dans ce cimetière. Au moins quatre. Plus un. Quatre petites salopes en moins sur terre. Les flics pataugent. Je n'ai pas peur des flics. Ils ne trouveront jamais rien. Ils ne soupçonnent jamais les bons garçons du docteur, ils cherchent des voyous, des vagabonds, des dingues. Ils croient que les dingues ont une lanterne rouge sur la tête, « attention, dingue », bons flics, bons chiens, flairez bien la piste, cherchez, cherchez, vous ne trouverez rien d'autre qu'un bon garçon bien élevé, jamais fait de mal à personne, jamais écrasé une mouche, Maman n'aime pas ça, qu'on fasse du mal gratuitement. Chiens galeux, reniflez bien les crottes du tueur, petits cadavres sales abandonnés dans les coins, trouverez rien, trouverez rien ! J'aime bien ma petite chanson.

Depuis quelque temps, depuis que je tiens ce journal, je ne pense plus qu'à tout ça. Avant, pendant de longs moments, j'oubliais, mais là, je ne sais pas pourquoi, j'y pense tout le temps, et ça m'énerve. C'est d'en parler comme ça : je revois tout et ça me donne envie. Les vacances sont trop longues. Heureusement, bientôt nous reprenons tous le travail. Déjà le déjeuner. J'entends Jeanie qui remue des casseroles…

Ce matin, je l'ai vue monter ici faire le ménage. Je trouve qu'elle est restée bien longtemps.

Au fond, elle pourrait être bien si elle s'arrangeait.

Je ne sais pas pourquoi, elle semble se méfier de nous.

Est-ce que tu serais une sale espionne, Jeanie ? Je n'espère pas pour toi. Salut !

Journal de Jeanie

Eh bien, je crois qu'il est temps de passer à la procédure d'urgence. La fuite. Je me tire, salut les gars, « Jeanie est pas mal au fond, cette salope, j'aimerais bien lui trancher la gorge, à cette garce... ». Très peu pour moi. Adieu, docteur Jekyll, portez-vous bien, y a des filles plus sexy que moi à couper en rondelles. On sonne. Je vais ouvrir.

...

C'était les flics. Très polis. C'est une maison bien, ici. Comme Madame avait mal à la tronche, c'est moi qui ai fait le thé. Offrir des biscuits à des flics, voilà à quoi j'en suis réduite... Rigole, Jeanie, ma fille, tant que tu peux encore. Ils m'ont posé des questions sur le soir du meurtre. L'anniversaire des enfoirés. Mine de rien, ils ont voulu savoir où étaient les garçons, s'ils connaissaient Karen.

Dieu veuille que ces nouilles en uniforme soient sur la bonne piste. Comme les garçons étaient dans leurs chambres, je n'ai rien osé dire. « Il » était peut-être là à m'écouter.

J'ai dit que oui, tout le monde connaissait Karen. Que j'avais vu une ombre dans le jardin, mais que je n'étais pas sûre. Peut-être un chien, j'ai dit. Mais j'ai dit l'heure. Qu'ils fassent leur boulot. Je sais que le cinglé me guette et se méfie de moi. Il faut que je me procure une arme.

…

Il est 11 heures du soir. Rien à signaler. Pas de nouvelles notes aujourd'hui. Le monstre sommeille.

Mark a repris son travail. Stark est allé acheter des pièces pour son nouveau joujou, au village. Jack avait un cours de piano. Clark s'entraîne pour le match de dimanche. Le docteur semble ravi. Avec toute l'effervescence qu'a causée le meurtre, il a pu en prendre à son aise, sortir et rentrer à sa guise, et voir sa poule je suppose. Il m'a dit : « C'est bien, Jeanie, je suis content de vous », c'était comme si Dieu le Père posait sa main sur mon épaule.

Peut-être que tout cela va se calmer. Peut-être qu'il est repu et qu'il ne se passera plus rien. Mais ce calme ne me dit rien qui vaille. C'est comme l'autre fois…

Ce matin, en rangeant les vêtements d'été tout en haut de l'armoire, j'ai trouvé une boîte en carton. Je l'ai ouverte. Dedans, enveloppé dans du papier de soie, il y avait un petit costume d'enfant, en velours bleu marine, avec un bouquet de violettes tout desséché posé dessus. C'était triste, ce petit costume, on aurait dit un petit cadavre. Sur la poche de poitrine, il y avait un M et un Z brodés. Ma grand-mère, elle avait gardé comme ça le costume de communiant de mon oncle qui était mort à douze ans. J'ai vite refermé la boîte et je l'ai remise à sa place.

C'est idiot, mais je me sens épiée. Parfois, je me retourne en sursaut parce que je crois qu'il y a quelqu'un derrière moi. Je vais prendre une cigarette et me coucher. Je dors mal. Je fais des cauchemars. Je me réveille en sueur. Quand je bois, au moins, je m'endors comme une masse.

Pour le revolver, je ne sais pas. J'ai un contact au village, peut-être il pourra faire quelque chose. Mais il faut que je puisse y aller. On verra ça.

Journal de l'assassin

La pluie ne s'arrête pas. Aujourd'hui, nous avons emmené Jeanie au village. Elle devait faire des courses et, comme on y allait, on l'a prise avec nous.

Je suis passé devant l'immeuble de Papa et j'ai sonné, mais personne n'a répondu. Il devait être en rendez-vous à l'extérieur.

Nous nous sommes tous retrouvés à la fontaine. Mark venait du boulot, Clark de l'entraînement, Stark de ses cours, Jack du Conservatoire. Nous aimons bien nous déplacer tous ensemble. Ça fait une belle équipe. Solide.

Les filles nous regardent souvent. Mark et Jack en sont un peu gênés, mais Clark et Stark apprécient. Clark lit des revues avec des filles à poil, et Stark a déjà eu une petite amie. Mark va parfois boire un verre avec la secrétaire de son patron. Jack est amoureux de son prof de musique. Entre nous, on parle pas souvent de filles.

On est pudiques dans la famille. Dans le journal, ils disent que la police est sur une piste. « Sur la piste du sadique… » Le sadique se porte bien, merci.

Je me demande ce que Jeanie est allée faire au village… elle est revenue avec un petit sac en papier marron qu'elle tenait serré contre elle. Elle s'est peut-être acheté de l'alcool. Les femmes comme elles boivent souvent beaucoup. Et après, elles ont tendance à dire des bêtises. A parler trop. Mais je ne pense pas que Jeanie ferait ça. Je ne pense pas qu'elle ait vu vraiment quelque chose par sa fenêtre. Elle est beaucoup trop maligne pour ça. Beaucoup trop maligne, comme une sale voleuse qu'elle est. Voleuse et espionne, deux mauvais points pour toi, Jeanie la Poissarde. Ça fait beaucoup.

Journal de Jeanie

Les garçons ne sont pas là. Je suis allée dans leurs chambres et j'ai fouillé dans leurs papiers. L'écriture des notes ne correspond pas. Je ne comprends pas. J'ai bien regardé, mais aucune de leurs écritures ne colle. Il doit déguiser la sienne quand il écrit.

Je me sens mieux parce que j'ai acheté le flingue à Joe, ça m'a coûté les deux tiers de ma paye, mais il est chargé, sous mon oreiller. J'ai aussi acheté un bouquin de psychologie, c'est difficile à lire, c'est pour les gens instruits. Quoi qu'il en soit, je vais en lire un chapitre ou deux, ça m'aidera peut-être. Maintenant, petit salopard, je suis prête à t'affronter.

...

Ce bouquin est passionnant. Je viens d'apprendre

que les dingos ont parfois deux personnalités, ça veut dire qu'ils sont deux personnes dans leur tête, sans que l'une sache que l'autre existe. Ce n'est pas son cas, puisqu'il sait qu'il est un tueur et en même temps le fils du docteur. J'ai aussi appris que parfois les fous ont une écriture pour leur vie normale et une écriture pour leur vie de fou, une «écriture de crise» en quelque sorte. J'ai bu une grande rasade de gin pour fêter ça. Ça me donne chaud. Je tombe de sommeil.

J'ai la tête qui tourne un peu.

Y a pas à dire, l'instruction ça a du bon, pas vrai, Jeanie, ma fille? D'ailleurs, si t'étais allée à l'université, tu serais pas payée des clopinettes pour laver le linge sale des autres. Dans le journal, ils disent que les enquêteurs ont une piste. «Sur la piste du sadique»! Cette pluie me tape sur les nerfs. La maison est tranquille sans les garçons. J'ai moins l'impression d'avoir un revolver braqué dans le dos. Ils sont allés au concert. Un machin rock dans la banlieue.

Pour une fois, Monsieur est là. Il lit un truc de docteur. Elle tricote une horreur moutarde pour Clark.

Je crois qu'il faut que je reprenne tout du début. Il a forcément dû faire une erreur. Il suffit que je l'observe. Et que je fasse attention.

Journal de l'assassin

Clark a gagné son match. Pour fêter ça, Papa nous a offert les billets pour le concert. On y est allés hier soir.

C'était pas mal. On a bien aimé. On a dragué des filles sympa. Mais Clark était fatigué et puis il devait étudier un dossier, on n'a pas poussé plus loin. Et Jack avait cours de bonne heure. Moi, les filles, je m'en fous. Je ne trouve pas ça intéressant. Je ne comprends pas le plaisir qu'on peut avoir à tripoter cette viande molle. Je te préfère, et de loin, mon petit cahier chéri, toi, au moins, tu es docile et doux et frais.

Je peux te dire tout ce que je veux, je peux te serrer, te caresser, te déchirer si je veux, te froisser dans ma main, te toucher avec ma langue, te frotter sur mon. Jusqu'à ce que. Tu n'es pas moite comme les filles, tu ne cherches pas à me faire des saletés. Tu es comme un petit frère très gentil, tu es à moi.

Quelqu'un marche dans le couloir. C'est le pas de Maman. Elle tricote un pull moutarde pour Clark. Nous sommes chacun dans notre chambre en attendant le dîner. Évidemment, Jeanie est en retard, on va encore manger à des heures impossibles.

Cette nuit, j'ai rêvé de Karen. J'ai rêvé que ma chambre était pleine de sang. Il faisait froid, le sol était recouvert de glace. Maman pleurait. Papa voulait me tuer avec un sabre. Il y avait aussi Jeanie qui me disait que j'étais un sale garçon, elle montrait quelque chose sous la glace rouge de sang, je voyais battre les veines de son cou, ça m'a réveillé.

Jeanie crie que c'est prêt. Nous allons descendre.

Journal de Jeanie

Ce soir pendant le repas, je les ai bien regardés tous. Je n'avais jamais vu que Clark a le regard trouble, comme les types qui se piquent. Pourtant c'est un sportif, et balèze : ça m'étonnerait qu'il touche à la came. Jack a été rappelé deux fois à l'ordre par son père parce qu'il n'entendait pas ce qu'on lui demandait. Il regardait dans le vide et il souriait tout seul. Mark a raconté des histoires de bureau idiotes d'où il ressort que c'est lui qui se tape tout le boulot. Stark n'a pas ouvert la bouche. Il avait mal au ventre, il a filé aux chiottes deux fois et, après, il a bouffé comme quatre, sans dire un mot.

Le docteur leur a fait un speech sur les bonnes résolutions de la rentrée, et les efforts à fournir dans la vie, etc., etc. La Vieille a montré à Clark l'horreur moutarde qu'elle lui a tricotée. Il lui a souri assez gentiment et l'a remerciée. Je m'attends toujours à ce qu'il y en ait un qui l'étrangle en souriant gentiment.

J'ai mon revolver sur les genoux. Je n'arrive toujours pas à prendre une décision. Mon Dieu ! Faites un effort et aidez-moi, je suis une brebis comme les autres, svp, ramenez-moi au bercail.

Ce que je remarque, c'est qu'il écrit comme un gosse, alors qu'ils viennent d'avoir dix-huit ans ! C'est vrai qu'on a tendance à les traiter comme des gosses. Des gosses de bandes dessinées. Les fils naturels de Superman.

Je vais lire un peu. La pluie recommence à tomber, il y a des éclairs.

Au secours. Quelque chose gratte contre ma porte, et souffle. Je vais aller ouvrir. Je dois aller ouvrir et savoir. Mais je n'arrive pas à bouger de mon lit. J'ai le revolver pointé sur la porte. Je ne peux quand même pas tirer sans savoir sur qui ou *quoi*. J'entends qu'on chuchote mon nom très bas, j'en suis sûre, et qu'on touche la poignée, dans le noir, et avec le bruit de l'orage…

Va-t'en, va-t'en, je t'en prie, va-t'en. Il veut me faire peur, mais pourquoi j'aurais peur, pourquoi j'aurais peur si je ne sais rien ? Il veut savoir si je sais, il sait que j'ai peur et que je sais.

Il m'appelle, il est juste derrière et il m'appelle. Je vais ouvrir et lui tirer une balle dans la tête, je vais crier, je vais crier au secours, je, je n'entends plus rien, je crois qu'il est parti. J'écoute. Il est parti. Il n'y a plus de bruit. Je garde le revolver dans ma main.

Il ne faut pas que je dorme.

3

Stratégies

Journal de l'assassin

Cette nuit, je suis allé me promener. J'ai marché dans le noir dans la maison. Je les écoutais respirer dans leur sommeil. Papa ronflait. Je me suis arrêté devant la chambre de Jeanie. J'ai regardé sa porte fermée. Et j'ai eu envie de la tuer.

J'ai dit son nom doucement. Tout doucement. J'avais le couteau tout contre moi. Le couteau de la cuisine. Le long couteau pour la viande. Viande de Jeanie qui sent l'alcool. Elle devait dormir. Dans sa chemise de nuit toute froissée, remontée, moite. Sa chemise de nuit de mauvaise qualité. Avec des dessous sales, malpropres.

Papa dit qu'il faut faire attention avec les filles des mauvais quartiers. Les filles à usine. Elles vous regardent par en dessous. Elles ricanent. Faire attention si on veut... à ne pas... Moi, ça ne m'intéresse pas. Pas envie d'attraper leurs sales maladies. Sales bouches pleines de maladies.

Je ne sais pas pourquoi je suis resté comme ça à

appeler Jeanie. Je ne pouvais pas bouger. Il fallait qu'elle ouvre la porte. Il fallait qu'elle me voie... Je ne me sens pas très bien. Dans le journal, ils ne parlent plus de Karen. Les policiers ne sont pas revenus. Ils ne reviendront plus.

Aujourd'hui j'ai été malin. Mais je ne peux pas te le dire, cher journal. Pas encore...

Journal de Jeanie

Je suis allée voir à la cuisine. Le couteau à viande était à sa place. Mais bien sûr qu'il n'allait pas l'emporter dans sa chambre. Dans la poche de mon tablier, il y a le revolver. C'est peut-être ridicule, mais je suis terrorisée. Je dois redescendre dans une heure pour le thé.

La Vieille m'a demandé si je me plaisais ici. Moi, servile : « Oui, bien sûr, le travail est facile. » Elle m'a dit que j'étais comme en famille. J'ai renchéri : « Oui, les garçons sont gentils. » Elle m'a souri et elle a dit : « Merci. » C'était bizarre. On aurait dit qu'elle allait me serrer dans ses bras. Je lui ai annoncé que je montais un peu, avant le thé.

Quand j'ai fait sa chambre ce matin, je serrais le revolver fort contre mon ventre. J'ai failli ne pas lire, mais c'était plus fort que moi : il fallait que je sache, que je voie. Jeanie, ma fille, ne te prends pas au jeu, sinon ça finira mal.

Toute cette histoire pue de plus en plus. Je me demande pourquoi il est tellement content de lui...

D'après le bouquin, les gens qui aiment trop leur mère sont souvent cinglés. «Refoulés.» Je me demande s'il est capable d'aimer. La nuit tombe. C'est la pleine lune ce soir, on dit que c'est la nuit des loups-garous. Encourageant. Mais, si je vois le loup, je lui colle une balle dans la tête. Plaf.

Qu'est-ce que c'est que cette histoire d'avoir été «malin»? Qu'est-ce qu'il mijote?

Il pleut très fort. Tous les bruits sont étouffés. Je leur ai servi le thé et puis je suis remontée. Ce soir, ils ne dînent pas, ils vont au théâtre avec leur père. Elle, elle a pris un plateau dans sa chambre.

J'avais cru entendre parler, mais ce devait être elle qui se faisait la conversation toute seule…

Je me sens mieux quand ils ne sont pas là. Je me repose un peu. J'ai lu deux chapitres du bouquin. J'entends une voiture…

J'ai regardé par la fenêtre et c'est bien le break. Ils ont l'air gai, ils rient. Sans doute que la pièce était bonne. Je me rappelle la fois où je suis allée au théâtre avec Jackie, ce qu'on avait pu rire. C'est bien loin tout ça. Je les entends qui parlent, en bas. C'est marrant comme leurs voix se ressemblent. J'ai la gorge sèche. Ça fait des années que je n'ai pas bu un bon verre de gin. Parfaitement. Mon père ne se couchait jamais sans son verre de gin. Il disait que les buveurs d'eau ne font pas de vieux os. Il n'en a pas fait lui non plus, Dieu ait son âme.

Journal de l'assassin

Journal de mon cœur, salut ! Ici le garçon le plus
malin de la ville. Il fait beau. Hier soir, nous sommes
allés au théâtre. Le spectacle était marrant. C'était
Les Dix Petits Nègres, d'Agatha Christie, et ça nous a
beaucoup plu. Papa aime bien nous sortir. Il est fier de
nous. Il croit que je n'ai pas vu la femme qui lui faisait
des signes dans la salle, mais je l'ai vue. Une blonde un
peu ronde, avec de gros seins. Il faut que je me renseigne là-dessus.

Je te disais, cher journal adoré, qu'hier j'avais été
bien malin. J'ai mis en effet un cheveu collé en travers
de tes petites feuilles pliées en quatre, et ce matin, ô
surprise ! je vois que le cheveu est rompu et donc que
tu as été, je suppose, lu. Un sale œil d'espion s'est posé
sur toi et, quand il lira ces lignes, il saura qu'il s'est
trahi ! Bonjour, cher espion... Tu devrais peut-être te
retourner très, très, très vite...

Tu n'es certainement pas Papa, hein, sale espion ; tu
es peut-être Maman. C'est toi, Maman ? Tu serais bien
curieuse soudain... Ou un de nous, Mark ou Jack ou
Clark ou Stark ? Un des innocents ? Je n'aime pas beaucoup les innocents fouineurs, je l'ai déjà prouvé... Ou
bien toi, Jeanie ? Ma petite grosse Jeanie ? Comme tu
serais imprudente si c'était toi. Comme tu tiendrais peu
à la vie. Le métier d'espion n'est pas de tout repos,
n'est-il pas vrai ? Mais sois tranquille, cher lecteur, je
vais te fournir de quoi t'occuper, salut...

Journal de Jeanie

Ce qui devait arriver est arrivé. J'ai fait ma valise et je suis prête à partir. Je vais prendre le premier bus en partance pour très loin et j'oublierai tout ça. Je trouverai bien une place ailleurs. Les jeux de cons, c'est plus de mon âge.

Quand j'ai lu qu'il savait, ça m'a fait un choc. J'ai bu trois verres coup sur coup pour me remettre et le patron va encore dire que le niveau de la bouteille a baissé... J'entends qu'on m'appelle. J'y vais.

...

Deux nouvelles :

1) Comme les garçons n'étaient pas là, je suis retournée voir s'il y avait du nouveau. Il y avait du nouveau. La photocopie d'une page de journal. Pas n'importe quel journal.

Le journal du 12 mars de l'année dernière, avec ma photo et celle de la vieille harpie devant ses tiroirs vides. Je me demande comment il a pu savoir ça, cette petite ordure. A part ça, rien. Juste la photocopie. Ça veut dire quoi ? Est-ce qu'il va l'envoyer aux flics ? Est-ce qu'il lit mon journal ? Je vais le garder avec moi. Je suis saoule... Le stylo me glisse des doigts.

En ce moment, dès que je bois, ça me monte à la tête. Mais, si je ne bois pas, je ne peux pas dormir et je, ce que j'ai sommeil, alors que je devrais réfléchir, je suis sûre que je vais retourner en taule et je veux pas de ça. Pas de ça, Lisette.

2) La Vieille va prendre une nièce à elle à la maison, pendant un mois, parce que ses parents ont eu un

accident d'auto et sont à l'hôpital et, bien sûr, elle a quinze ans et je suppose qu'elle est excitante, etc., etc. Heureusement, je serai pas là pour voir ça, Dieu soit loué. Pour ce que Dieu a l'air de s'occuper de tout ça... Bonne nuit à tous et à moi-même. Je m'endors.

Journal de l'assassin

Ce matin, Maman nous a dit que Sharon allait venir passer un mois ici. Elle est brune avec des yeux noirs. Une fois, nous sommes allés en vacances chez elle. Elle et moi, on jouait à cache-cache dans sa cave et j'ai voulu la pousser dans la chaudière. Mais elle était plus forte que moi et elle m'a cogné la tête sur le ciment jusqu'à ce que je saigne.

On n'a rien dit à personne, ni elle ni moi. Je te précise, cher espion, qu'il est donc inutile d'aller interroger ma mère ou mes frères car, moi, je te mentirai et eux n'en sauront rien... Le seul qui aurait pu t'éclairer utilement à ce sujet est depuis longtemps bouffé par les vers. (Tu connais la SPVT ? Société Protectrice des Vers de Terre. Ils m'ont nommé membre bienfaiteur.) Par contre, si tu poses ce genre de questions, moi, je saurai avec certitude qui tu es, n'est-ce pas ? (Il faut tout lui dire à cet espion.)

En tout cas, c'est une bonne nouvelle. Je pourrai régler mes comptes avec cette sale petite sainte-nitouche !

Au fait, Jeanie, qu'est-ce que t'as fait du fric et des bijoux ? Tu les a planqués ? Bonne journée !

Journal de Jeanie

Évidemment, avec la chance que j'ai, c'est la grève. Juste comme j'allais monter faire les chambres, le journal est arrivé et voilà, c'est la grève. J'ai téléphoné à la gare des cars et ils ont dit qu'ils ne savaient pas, c'est tout le secteur des transports qui est touché et, en plus, il y a eu des affrontements hier et maintenant tout est bloqué. Je regarde ma valise et je ne sais pas quoi faire. Ils sont partis tous les quatre. Avec le break. Le docteur est parti à vélo. Il dit qu'il veut retrouver la forme. Sans doute que sa petite amie le trouve un peu grassouillet, le cher ange... Puisque je suis bloquée ici, autant aller voir s'il y a une suite à ce palpitant feuilleton. La Vieille est en bas, elle s'occupe des fleurs.

Pour ce soir, j'ai préparé du gigot à la menthe. Je devrais rajouter des champignons empoisonnés, ça réglerait le problème d'un coup...

Allez, j'y vais et je reviens.

...

Décidément, ça ne s'améliore pas. Bon sang, c'est tout de même incroyable ! Planqués, les bijoux ? Oui, hélas, planqués dans la vaste poche de M. Bobby ! « On se retrouve au Sheraton à 12 heures 30, demain. Je garde les bijoux sur moi, c'est plus sûr. » Tu parles. Pied de grue au Sheraton jusqu'à 16 heures ! Pas plus de Bobby que de beurre en branche. Parlez-moi d'amour ! Et en plus je me suis fait mettre dehors par le portier qui me prenait pour une racoleuse. Y a pas, je dois porter la poisse.

Il s'est mis à neiger. Une sale neige grise qui recouvre tout et étouffe les bruits, mais au moins peut-être que ça empêche les filles de se balader la nuit.

Sale temps pour les tueurs.

J'ai réfléchi aux dernières notes du maboul. J'ai réfléchi bien calmement en bonne Jeanie pas saoule, et voilà ce que je me suis dit. Je me suis dit que si je pouvais pas aller voir chaque petit frère et lui demander la bouche en cœur : « Alors, mon chéri, c'est vous qui avez voulu jeter Sharon dans la chaudière ? », sous peine de me voir lardée de coups de couteau au détour du couloir, en revanche je pourrais très bien en parler à Sharon elle-même. Qui c'est ce type mort qui aurait pu me renseigner ? Un témoin ? Sûrement. Et y a des chances que je finisse comme lui.

Le bouquin dit que les cinglés aiment bien parler d'eux. C'est souvent comme ça qu'on pique les tueurs. Il faut qu'ils racontent, l'anonymat ça leur pèse, ils veulent la gloire, je pourrais peut-être jouer là-dessus. Il faut que je réfléchisse. C'est décidément le mot qui revient le plus dans ma conversation.

« Petite grosse. » Non mais ! je leur en foutrais, des « petite grosse », à ces malabars sans cervelle, toujours en train de mastiquer quelque chose. Quatre gros poupons bourrés de viande et de fric, quatre sales petits cow-boys pleurnichards... Nom de Dieu ! « Nom de Dieu », parfaitement, si Dieu n'est pas content, qu'Il me l'écrive : Jeanie Ras-le-Bol, 0, rue de l'Espérance, à Cul-de-Sac, pôle Nord. Pas de risques d'erreurs, j'attends !

C'est drôle, depuis que je sais que je ne peux pas partir, je me sens comme résignée. Je ne crois pas au destin, mais peut-être que c'est le mien, peut-être que je dois démasquer ce cinglé. Et puis ? Le tuer ? Je ne pourrais pas tuer. Mais peut-être que je le devrai... Je vais prendre une cigarette et descendre allumer le feu.

Journal de l'assassin

Ainsi donc, la grosse Jeanie est toujours là. C'est qu'elle doit nous aimer beaucoup. Je croyais, moi, qu'elle serait maligne et qu'elle s'en irait. Mais non. Elle reste. Elle a peut-être peur de se retrouver avec tous les flics du pays au cul. Et, avec son gros cul, ils risquent pas de la rater. Mais a-t-elle réfléchi qu'ils pourraient tout aussi bien venir la cueillir ici ? Tranquillement. Après tout, qui la protégerait ? Il suffirait qu'ils reçoivent une coupure de journal... Mais qui ferait ça ? Ici, il n'y a que de bons garçons. Et une très vilaine Jeanie...

A part ça, mon journal, il neige. Une belle neige blanche comme une barbe de Père Noël... j'adore les cadeaux. J'adore avoir Sharon comme cadeau de Noël.

Aujourd'hui, j'ai eu un vertige. C'est la première fois. J'étais couché sur mon lit et je pensais à tout ça, Karen et la fille de Demburry, et puis je me suis levé pour prendre un pull et j'ai eu un vertige, tout s'est mis à tourner. Je me suis raccroché au lit et c'est passé. Mais je n'aime pas ça. Un type fort comme moi, sûr de lui, un professionnel quoi, ça ne peut pas se permettre des malaises de fillette.

Maintenant, l'espion est content, il va guetter tous nos malaises. Tu vois, espion, je te soigne. Mais comme je sais que tu ne peux rien contre moi, que personne ne peut rien contre moi, je ne vois pas pourquoi je te cacherais quelque chose...

Je t'aime, espion, je t'aime tant, toi qui me lis avec ferveur, tous les jours, caché ici dans la chambre de Maman, le nez dans ses jupes, espèce de dégoûtant espion, tu me lis vite, vite, et pendant que tu me lis, maintenant, maintenant que tu as la tête baissée, je monte l'escalier... Je n'ai pas les mains vides, tu sais... J'arrive derrière la porte, tu t'es retourné si vite que tu as failli te dévisser la tête, et maintenant tu n'oses plus continuer à lire... Va-t'en ! Va-t'en !

Je te tuerai, je le jure. Quand ça ne m'amusera plus de jouer avec toi, je te tuerai. Je trouverai quelque chose qui te fasse mal, vraiment très mal, parce que tu as osé t'attaquer à moi. Il faut être fou pour s'attaquer à moi.

En attendant, je vais te donner des indices. De bons indices tout frais que tu pourras grignoter dans ta chambre. Au fait, est-ce qu'elle ferme bien à clé, ta chambre ? Ah, ah, ah ! Tu aimes mon rire de papier ? Voici un indice très important : je suis le seul parmi nous qui aime les navets. Salut !

Journal de Jeanie

Cet après-midi, j'ai cru mourir de peur. Ce petit salaud avait écrit qu'il montait l'escalier et, un instant, j'y ai cru. J'ai cru me tourner et voir briller une hache, c'est la hache qui me fait le plus peur, j'imagine ce que ça doit être d'être fendue en deux d'un coup de hache !

J'ai raté le curry d'agneau, tant mieux, il n'y avait que ça à manger, le docteur était furieux. Fallait voir leurs têtes ! Tout à l'heure, je suis allée voir la Vieille, eux, ils étaient partis. J'y vais et je dis : « Si on faisait des navets un soir ? »

Elle m'a regardée d'un drôle d'air. Peut-être parce que je sentais un peu le vin, je sais pas. « Des navets, quelle drôle d'idée ! a-t-elle dit en me regardant par en dessous, vous voulez maigrir, que vous faites des menus de confédérés ? – Non, mais chez moi on en faisait souvent et mes frères adoraient ça, Madame », ai-je répondu avec mon air le plus niais.

Elle m'a souri gentiment, d'un sourire hypocrite et sournois, ça m'a fait froid dans le dos : « Mes fils n'aiment pas ça. – Aucun ? – Aucun. Je n'ai jamais pu leur en faire avaler ! », et elle s'est remise à tricoter une horreur bleu et jaune. (Pour Stark, ce coup-ci.) Conclusion : le gosse se fout de moi. Encourageant.

J'ai appelé la gare : toujours rien. De toute manière, il va y avoir une tempête de neige. Vous croyez que ça m'étonne ? Bonne nuit. J'en ai marre.

Mais qu'est-ce qu'il a voulu dire avec ces putains de navets ? Est-ce que c'est un symbole ? « Dans l'inconscient du malade, le navet symbolise le pénis flasque de son père, dont il raffole, ce pour quoi il tue les pauvrettes soupçonnées d'en jouir en volant la place de la mère. » Les navets symbolisent, par extension, les hommes, et le cinglé, qui n'est pas cinglé, docteur Knock, est donc homosexuel. Bravo, Jeanie, le bouquin t'aide vraiment. Je l'ai fini ce soir.

Il faudrait que j'en achète un autre.

Journal de l'assassin

Bonjour, Jeanie.
J'ai rêvé de toi.
Et ce n'était pas très propre ce que tu faisais.
Tu devrais avoir honte.
Garce.
Garce. Garce. Garce. Je suis énervé. J'ai chaud. Faut pas jouer au plus fin avec moi, Jeanie, t'entends ? T'entends, fille de pute ? Tu crois que je le sais pas ce qu'elle faisait ta mère ? Faut pas me sous-estimer, Jeanie. J'ai pas douze ans, tu sais. Je suis un homme. Un vrai homme. Et je vais te faire voir ce que c'est, espèce de putain prétentieuse. Papa dit toujours qu'il y a des garces qu'il faudrait mener à la cravache. Cravache, ça contient « hache », non ? Des garces comme Karen. Comme les autres.

Je suis en sueur, ça coule sur la feuille, ne crois pas que ce sont des larmes. Je ne pleure jamais. J'ai pas le temps de pleurer. Trop de choses à faire. Je dois m'occuper de tellement de putes. En ce moment, je dis tout le temps des gros mots, et j'aime ça, même si c'est mal. Au village, quand les gens me parlent, je souris et je pense plein de gros mots très sales et ils ne le savent pas.

Je ne suis pas Mark. Ni Clark. Ni Stark. Ni Jack. Je ne sais pas qui je suis. Je ne le sais pas, tu comprends ?

Mais j'aime beaucoup les navets.

Journal de Jeanie

Et si c'était vrai ? S'il ne le savait pas ? S'il écrivait son journal quand il est dingue ? Quand il ne se rappelle pas qui il est. Il sait qu'il est l'un d'eux, mais lequel ? C'est pour ça qu'il écrit. Parce qu'il espère qu'il se souviendra. Qu'il saura enfin qui il est.

On sonne. Je vais voir.

...

Devinez qui c'était ? C'était les flics. Ils ont posé les mêmes questions que le mois dernier. Il paraît que quelqu'un a vu quelque chose. Une ombre dehors cette nuit-là, avec un pantalon à carreaux. (A ce stade, c'est plus qu'une ombre.) Tout le monde a des pantalons à carreaux dans ce quartier, à croire que les rayures y connaissent pas. Mais quand même, ça se resserre. Je crois qu'il finira par se faire avoir. OK, Jeanie, t'as mérité une tasse de thé au brandy. Et pourquoi pas deux ?

Journal de l'assassin

Maman a dit que Sharon arriverait dans trois jours. Papa est parti avec Jeanie, qui voulait passer à la librairie. La neige tombe violemment. J'ai envie d'écraser quelque chose entre mes poings. J'ai les mains fortes. Je peux tuer des animaux rien qu'avec les mains. Même des chiens. Le chien des Franklin, par exemple. Un sale chien, toujours à aboyer. Je lui ai brisé la nuque. Je suis très fort. Comme Clark, exactement, cher espion, je ne t'ai pas oublié. Demande à Clark de te montrer comme il est fort. Beau et fort.

Au fait, et les navets ?

J'ai soif. J'ai l'impression que ma langue enfle et va m'étouffer. Je dois garder la bouche entrouverte. Cette nuit, j'ai fait dans mon lit. C'est le mouillé qui m'a réveillé, j'ai vite changé mon drap. Maintenant, il est mélangé avec les autres, mais tu peux toujours fouiller le panier à linge si ça t'amuse...

Est-ce que ça ne dénote pas un tempérament sensible, ça ? Comme Jack, par exemple ? Un tempérament nerveux, d'artiste, de sale pisse-au-lit. C'est parce que je suis fatigué, en ce moment, avec cette langue si grosse dans ma bouche, j'ai tout le temps soif et je bois trop, et c'est moi que ça regarde, t'entends, ce que je fais me regarde, et ceux qui n'en seraient pas persuadés, je vais m'en charger...

J'ai rêvé de Sharon

Je me demande pourquoi tu es allée au village, Jeanie. Est-ce que tu n'es pas mieux, ici, au chaud ? Tu ne songerais pas à nous quitter, tout de même ? Avec toute cette neige, je pense qu'un corps serait recouvert en deux heures. Un petit tas blanc sur la route. Avec juste des talons aiguilles qui dépasseraient... Ce serait si beau. Et une petite flaque d'urine qui gèlerait doucement sur la tête du petit cadavre blanc... Je me demande pourquoi je continue à te laisser ici, journal chéri, je suis trop bon avec les espions.

Journal de Jeanie

Plusieurs choses. D'abord, j'ai acheté un livre sur les psychopathes. Le docteur m'a demandé ce que j'allais faire au village : « Acheter des bouquins policiers. » Il a marmonné : « Vous lisez ces âneries ? – Oui, de temps en temps, ça détend. » Non mais, de quoi il se mêle, ce gros lard ? Évidemment, je peux pas me payer des distractions en petite culotte à fleurs, moi !

C'est bon d'être dehors, de respirer la neige, de se sentir fraîche, ça me rend gaie, malgré moi et malgré la gravité de la situation.

4

Menaces

Journal de Jeanie

Je crois que je commence à saisir la tactique de ce salaud. Il va tous me les faire soupçonner les uns après les autres, en espérant que je me perde à vérifier ses fausses pistes.

Je repense à ces malaises qu'il a de plus en plus. Est-ce que c'est mauvais signe parce que ça laisse prévoir une crise (Jeanie, ma fille, tu parles comme un professeur d'université) ou bon signe parce que ça veut dire qu'il commence à craquer ? Cette histoire de soif... Soif de sang, oui ! De sang frais. Je pense à cette gosse qui va venir, Sharon. Il a rêvé d'elle. Si elle pouvait le tuer. Une grande et forte fille qui te l'assommerait d'un coup de poing sur le crâne...

J'ai réfléchi à l'histoire des pantalons à carreaux. Le sien aurait dû être taché de sang. A moins qu'il ne l'ait lavé lui-même, en rentrant cette nuit-là.

A propos de linge : j'ai fouillé dans le panier et, bien sûr, il y avait un drap sale. Est-ce que je vais aller demander à la Vieille s'il y en a un qui fait au lit ou qui faisait au lit quand il était gosse ? Je ne sais pas.

C'est marrant comme des « jumeaux » peuvent être différents. Mais c'est aussi troublant de voir la même personne en quatre exemplaires. Ce serait amusant si chacun de nous pouvait exprimer les différents côtés de son caractère dans des personnages de chair et d'os. Moi, il y aurait Jeanie la Voleuse, Jeanie l'Amoureuse, Jeanie la Bonniche, Jeanie la Grande Aventurière…

Je me demande ce que je ferais si j'avais un indice sérieux, je veux dire si j'en voyais un en train de m'épier, Jack avec ses beaux yeux, ou Mark avec son complet sombre, ou Stark toujours en train de ricaner, ou Clark en train de bouffer des cacahuètes.

Je ferais pas comme Karen en tout cas, j'irais pas discuter le coup avec un mec armé d'une hache, mais ça, elle pouvait pas prévoir. Pas plus que je pouvais prévoir que je me retrouverais coincée par la neige dans un bled pourri, avec une grève générale sur les bras et un tueur à face d'ange (mais chaussant du 46 fillette) dans la chambre à côté.

Je n'arrive plus à m'arrêter d'écrire, ce soir. Je n'ai même pas envie de boire. J'allume une cigarette, c'est bon. Je regarde la vitre couverte de neige, la fenêtre des Beary, en face.

Il y a un chien qui aboie, c'est calme, on dirait un décor de carte postale ; ça me fait penser que, cette semaine, la Vieille veut aller choisir le sapin de Noël avec un des gosses. « Il faut un garçon pour le porter », qu'elle a dit, comme si je n'avais jamais porté de sapin de Noël.

Je vais essayer de dormir. A chaque jour suffit sa

peine, je vérifie que le revolver est prêt, que la clé est tournée, que la fenêtre est fermée. Bonne nuit.

...

« Jeanie est une idiote. Jeanie mérite le poteau d'exécution. » Parfaitement, ma fille.

Il est 14 heures 30. Je viens de me rendre compte que s'il est tellement menaçant et grande gueule, c'est parce qu'il se sent coincé. Il ne peut rien contre moi, alors il aboie. Il me menace. Il essaye de me faire abandonner. Parce qu'il sent bien que je peux et que je vais le coincer. Et, en même temps, il ne veut pas que je parte. Pourquoi ? Pourquoi ne veut-il pas ? Parce qu'il s'est trouvé quelqu'un avec qui jouer, voilà l'impression que j'ai.

Ce soir, fait exceptionnel dans cette demeure de Frankenstein, ils reçoivent. Un couple de leurs amis dont le mari est docteur également. J'ai fait un beau turbot et la Vieille s'est fendue d'un gâteau maison. C'est les petits enfants qui vont être contents... Mais il n'y a pas de petit enfant, ici. Il y a quatre jeunes hommes.

Et, même s'ils font un peu patauds, pas un seul qui ne parle ni ne se comporte comme un gosse de douze ans. C'est ça qui me gêne. C'est pour ça que je n'arrive pas à caser un visage sur ses mots. Parce que ceux-ci ne correspondent à aucun d'eux. C'est comme si l'un d'eux revenait dans sa tête quand il était gosse.

Les gosses de la maison. Un groupe toujours soudé. Une vraie famille. Une réclame pour la patrie.

La tempête de neige est impressionnante. Je ne sais pas si les invités vont venir. Il faudrait que je repasse mon tablier. La grosse souillon de Jeanie va repasser son tablier. Dans la jolie buanderie, là-bas, près de la chambre de sa chère patronne.

Si je reste toute la journée à repasser, je le verrai forcément passer à un moment donné pour se rendre dans la chambre de sa mère... Non, c'est stupide. Il emportera son journal avec lui, c'est tout. Je gaspille mes forces à des idioties. A propos de forces : où est cette sacrée bouteille de gin, réconfort de mes vieux os ? J'en ai marre, je vais faire la sieste.

Journal de l'assassin

Ce soir, le docteur Milius et sa femme viennent dîner. Je ne les connais pas. C'est un collègue de Papa. Maman a dit à Jeanie de soigner la cuisine et de se tenir propre. Tout le monde fait la sieste. Départ à 3 heures : Mark doit voir un client, Stark va s'acheter un logiciel, Clark doit aller en cours et Jack a une interro de solfège. Clark va peut-être devenir capitaine de son équipe. Il est content. Mark aussi, parce que son patron va le recommander auprès d'un grand cabinet d'avocats quand il aura passé son diplôme. Stark n'arrête pas de bosser, ils ont un contrôle dans un mois. Jack nous a joué sa dernière composition, c'était pas mal, un peu romantique peut-être, mais on ne se refait pas.

Passons aux choses sérieuses. Il paraît que la police recherche un garçon avec un pantalon à carreaux.

Si Papa allait voir au garage, il verrait que, dans le tas de vieilles frusques, il manque le pantalon à carreaux qu'il met pour s'occuper de la bagnole. Sans doute que Maman l'a jeté parce qu'il était mangé aux mites. On ne va pas en faire toute une histoire...

J'ai l'impression que Jeanie dissimule quelque chose dans son tablier, quelque chose de lourd. Mais quoi? Est-ce qu'elle se prendrait pour James Bond? Serait-ce un pistolet? Un bazooka? Non, pas ma Jeanie, ma salope préférée, celle que je me garde pour la fin... L'autre jour, à la télé, ils montraient comment on tue un cochon, en l'éventrant tout du long; ça, c'était quelque chose!

Je m'aperçois, cher journal, que je m'éloigne de mon intention première, qui était de te décrire par le menu notre famille et mes agissements, mes sinistres agissements, comme dirait un procureur, à cause de ce vilain espion qui joue avec le feu...

Tu me prends vraiment pour un imbécile?

Donc, comme je le disais, je vais te parler de nous, une fois de plus.

Le bébé des Beary pleure et m'empêche de me concentrer. C'est ennuyeux, je n'aime pas les bébés, je n'aime pas ce bébé.

Mark porte toujours des cravates très élégantes et chères, il est coquet, dans son genre. Clark adore les survêtements bien crados avec des baskets. Stark aussi aime les baskets, et les sweaters de couleurs vives, avec des bonnets de laine ou de coton. Jack, lui, ce qu'il préfère, c'est le tricot classique, le bon vieux polo décontracté, avec des chaussures en daim. Mes petits frères. Je suis tout attendri, soudain, de penser à nous, mes petits frères.

Je crache sur Superman et autres superhéros avec leurs histoires à la noix, moi, je suis un superhéros, pas dans l'espace, non : ici, sur terre, avec de vraies victimes, de vraies garces autrement dangereuses et sales qu'un paquet d'extraterrestres déchaînés. Moi et mes frères, on est vraiment des as. Papa nous appelle, je file, ciao, journal chéri, ciao, sale garce !

Journal de Jeanie

Délicieuse soirée. Le docteur Milius est un grand beau vieil homme, très digne, pas très marrant mais enfin... Sa femme est une grosse blonde pétillante, ravie d'elle-même, ravie de voir de beaux garçons si costauds et tout et tout, avec une tonne de diamants entre les seins, de beaux bijoux, d'ailleurs (et de beaux seins aussi, si j'en crois les yeux exorbités de mon docteur), donc, disais-je, « mon cher journal », une soirée exquise, marquise.

Pour commencer, le turbot a eu beaucoup de succès. Ensuite, j'ai bien observé autour de moi : Clark a bu énormément d'eau, j'ai pensé à cette soif terrible dont il parle, et Stark a redemandé des frites, je n'ai pas oublié le coup des frites. Moi, je servais, silencieuse et discrète, la vraie souris du ménage, eux, ils s'empiffraient, et miam et miam et brounch et chrchoch. « Alors, cher docteur, que pensez-vous de l'art grec polychrome ? » Et une gorgée de bourgogne, une. « Eh bien, cher

confrère, je pense que c'est très surfait. » Trois bouchées de patates, schlonrff... « Parlez-moi de l'art
rupestre du troisième millénaire avant Jésus-Christ, au
coin sud-ouest de l'Abyssinie, ça, oui, c'est intéressant. » Voix suraiguë de blonde complètement idiote qui
veut à tout prix participer à la conversation : « Et les
molaires, on en est où ? – Ah, ma chérie, ça pro-
gresse... Elle veut se faire mettre des jackets, mais je
ne veux pas, elle a de très bonnes dents encore, et ce
gâteau, comme il est boooon, fait maison, vraiment
c'est fouuuuu ! »

Tiens, tiens, encore un petit coup d'œil rapide
et salace de mon docteur sur la femme d'autrui ? La
Vieille semblait moins vieille, maquillée, habillée, finalement, ça pourrait faire une femme pas mal, distin-
guée, je dirais « fine ». Les quatre monstres étaient en
costard, très élégants... et dire qu'il y en a un qui fait
encore au lit !

En fait, ils semblaient tous très détendus. Pas l'air
de cacher quelque chose. A un moment, la blonde a parlé
de « Karen-cet-affreux-meurtre », mais le docteur a dit
qu'il ne préférait pas aborder le sujet à table, en pré-
sence des enfants. (Quels enfants ?)

Il faudrait que je puisse relire toutes les notes depuis
le début... les faire photocopier ? Et puis, tenir un journal, finalement, ce n'est pas facile parce qu'il y a plein
de choses à raconter, entre ce qui se passe vraiment et
ce qui me passe par la tête. Et, comme j'écris moins
vite que je pense, il y a des choses que j'oublie en
route.

Le nouveau bouquin est compliqué, je n'y com-

prends rien, j'en ai marre de lire des bouquins en attendant qu'on m'assassine. Vivement que ça bouge.

Journal de l'assassin

C'est la nuit. Je suis dans ma chambre et j'écris.
J'entends le bruit du stylo sur le papier, mon doux
papier blanc, un peu crémeux, comme du lait, tout le
monde dort. Moi, je ne dors pas, je veille.

Je guette leurs souffles.

5

<u>Essai</u>

Journal de l'assassin

Maman est allée dormir avec Papa, ce soir, j'imagine ce qu'ils doivent faire. Ils doivent se toucher, et se faire des bises, et peut-être, non, ça, je ne veux pas y penser, j'ai les mains moites, je les essuie sur mon pantalon de pyjama, tout près de mon… Il ne faut pas que je le touche, après j'aurais envie de faire pipi.

Ils ne savent pas que je l'ai reconnue, la blonde du théâtre. Ça, c'était fort de l'amener ici. Maintenant, je suis sûr que Papa et elle doivent… Si Maman le savait.

Je regarde tomber la neige et c'est très joli. Pour le sapin, on ira voir cette semaine. Il faut que tout soit bien pour l'arrivée de Sharon.

J'ai envie d'aller faire un tour dans le couloir, écouter aux portes, fouiller un peu partout. J'aime bien me balader la nuit, c'est comme si c'était une autre maison : la maison des papiers dans le bureau de Papa, la maison des couteaux dans la cuisine, la maison des portes fermées, des ronflements, des escaliers qui craquent, du parquet qui grince.

C'est comme une maison de vampires, et c'est moi le maître de cérémonie, le maître du rituel, le grand officiant des messes noires. Le vent pousse contre la fenêtre, je le regarde pousser et je lui souris.

C'est décidé, je vais faire un tour. On ne sait jamais. Parfois, imprudence, une porte reste ouverte. Parfois, un enfant se promène tard dans la nuit et ne rentre plus jamais, ou alors un chat vient se frotter bêtement à vos jambes. Je prends un pull pour le cas où je devrais sortir. Je mets des chaussons, je ne peux pas dire de quelle couleur ils sont, mais ils sont très jolis, on en a tous une paire de couleur différente, c'est Maman qui nous les a tricotés.

Un gentil tour de piste. Très silencieux. Attentif. Aux aguets. Surtout, ne vous perdez pas ici, qui que vous soyez, parce que je suis parfaitement réveillé et j'attends, je vous attends.

...

Il est 5 heures. J'ai préparé une surprise pour l'espion. Grâce à ce que j'ai retrouvé dans l'armoire du bureau. Je vais vite me coucher, je suis gelé. Sa porte était fermée. Pas de chance. J'ai rangé le rasoir.

Journal de Jeanie

Je tremble comme une feuille et j'écris tout de travers. Je crois bien que je n'ai jamais eu aussi peur de ma vie. Si quelqu'un trouve ce cahier, qu'il ne s'étonne pas de ces lignes tremblées et griffonnées, mais, là, j'ai vraiment eu peur. Tellement que je ne peux pas l'écrire tout de suite, je vais d'abord parler de cette nuit.

Cette nuit, j'ai senti quelque chose derrière la porte comme l'autre fois, je me suis réveillée d'un bond. La poignée était en train de tourner doucement. J'ai dit : « Attention, j'ai un revolver. » Je l'ai dit à voix basse, mais distinctement. Et une voix, une voix derrière la porte a répondu : « Je te tuerai quand même. » Tout bas elle a dit ça : « Je te tuerai quand même. » Je me suis jetée sur la porte, je ne sais pas pourquoi, une folie ; j'ai ouvert. Mais il n'y avait rien, juste une odeur dans le couloir. Une odeur étrange. Une odeur d'urine.

Ça, c'est pour la nuit.

Ce matin, je monte là-haut, après le déjeuner, quand ils sont tous partis. Du moins, je crois qu'ils sont tous partis. Je soulève le manteau, je fouille la doublure, je sors le paquet de feuilles, ça commence à faire un gros paquet. Je suis accroupie par terre, à côté de la penderie, et je guette les bruits, mais comme la Vieille chantonne, je peux savoir où elle est.

Je lis et, soudain, j'entends un souffle. Une respiration. Une respiration dans mon dos. Lourde. Haletante. Je reste figée et je débloque le cran d'arrêt du revolver dans ma poche. Ne pas bouger. Pas de gestes violents. Il est là derrière moi, il lève son couteau, je dégaine et je me retourne. Personne. Je vais à la salle de bains, j'ouvre la porte d'un coup de pied, à la volée, elle cogne contre le mur, personne. Mais j'entends toujours respirer. J'entends toujours respirer !

Je tourne dans la chambre avec le flingue à la main. Sur la table de nuit, il y a juste le réveil et les somnifères de la Vieille. Je regarde le lit, le grand lit avec son couvre-pieds à franges, de grosses franges roses qui tombent jusqu'au sol.

Maintenant la respiration est plus rapide, plus courte. Comme s'il se... ou comme s'il avait peur. Je suis debout près du lit, il faut que je soulève ce couvre-lit, il le faut. Je vais enfin savoir. Je m'approche à pas de loup, à quoi il joue? Bon sang, qu'est-ce qu'il prépare? Le cœur me manque pour soulever le tissu, j'ai la main tendue, je ne bouge pas. Alors la respiration se change en voix, en voix qui chuchote, la voix de la nuit, la voix douce et menaçante de la nuit qui prononce mon nom, plusieurs fois : « Jeanie, Jeanie, dit la voix, viens. » J'entends un bruit étrange, je comprends que ce sont mes genoux qui s'entrechoquent. « Dépêche-toi, je suis impatient. Ha, ha, ha. » Maintenant il ricane, un ricanement aigu, qui devient une sorte de rire, avec des crachotements, un rire comme une toux, un rire de vieillard.

Je regarde ce lit qui ricane, j'entends très distinctement le klaxon du boucher, en bas dans la rue, mais ici il n'y a plus de bruit, et puis je me rends compte d'autre chose, je n'entends plus chanter, la maison est comme vide.

Le rire se tait, plus de bruit, plus rien, une marche craque, je pivote, puis aussi vite je reviens au lit. Soudain, une sonnerie stridente. Malgré moi, je bondis, je me cogne dans le lit de tout mon poids, il se déplace. Le tapis est tout tiré, le lit est à moitié déplacé, mais je ne vois rien dessous. Il n'y a plus de respiration. Plus rien.

Juste une sorte de chuintement. Peut-être est-ce que je deviens folle. « Jeanie ! » Je sursaute. « Jeanie, qu'est-ce que vous faites ? Il est bientôt 11 heures ! Jeanie ? » La voix aiguë me vrille la cervelle. « Le boucher est passé, Jeanie, vous descendez ? – Oui, Madame, j'arrive ! » Comme ma voix est drôle, toute caillouteuse. « J'arrive ! », plus fort. Rien ne bouge, alors brusquement je plonge, je soulève le tissu, prête à recevoir un coup de couteau au visage, mais il n'y a rien. Juste un joli magnétophone noir et gris qui tourne à vide.

Et maintenant je tremble encore. J'ai pris le magnéto, je suis descendue. Je ne sais pas pourquoi je l'ai pris, c'était idiot, il aurait pu croire que personne ne l'avait trouvé. Après tout, il n'est pas vraiment sûr que je lise son journal.

Il n'a peut-être jamais mis le cheveu. C'est peut-être un jeu qu'il se fait, pour corser le plaisir, et il ne sait rien. Il devine par hasard, en jouant, sans y croire. Maintenant, par contre, il saura que quelqu'un a pris le magnéto. Mais c'est trop tard, ils sont là, je ne peux pas aller le remettre à sa place. Je l'ai caché dans ma chambre, sous mon linge de corps.

Ils sont en train de se préparer pour passer à table, ils se lavent les mains et tout ça. Un magnétophone. Il s'amuse. Il se fout de moi. C'était donc ça qu'il avait trouvé dans le bureau. J'ai hésité à prendre ses notes *en guise de représailles*. C'est idiot, mais c'est l'expression qui me vient à l'esprit. « En guise de représailles. » Je vais descendre, j'entends la sonnette.

Journal de l'assassin

Elle l'a pris. J'ai passé la main sous le lit. Il n'y a plus rien.

Comme tu as dû avoir peur, pauvre Jeanie, tu as cru ta dernière heure arrivée, et tu te trompais. On se trompe sur des tas de choses dans la vie. Maintenant, il faut rendre ce magnétophone qui n'est pas à toi, tu entends, Jeanie ? il faut le remettre à sa place. Demain Sharon arrive, il faut que tout soit bien rangé dans la maison. Il faut faire honneur à Sharon. Alors, tu vas ranger ce magnétophone et peut-être que je te pardonnerai.

C'était juste une blague, Jeanie, une gentille blague. A bientôt.

Journal de Jeanie

Non, je ne le remettrai pas à sa place. Pas question. Tu as fait une grosse erreur, sale petit crétin, et tu vas la payer. Parce que, maintenant, j'ai une preuve. Une preuve qu'il y a un cinglé dans cette baraque.

« Oui, mademoiselle, c'est à l'évidence une blague de très mauvais goût, mais ça reste une blague, n'est-ce pas ? Si nous devions arrêter tous les gens qui font des blagues... Ha, ha, ha ! » Je m'en fous. Je le garde.

Je ne sais pas pourquoi, mais j'espère beaucoup de la venue de Sharon. Une alliée. Quelqu'un avec qui partager tout ça. Quelqu'un de normal, qui m'aidera à me tirer d'ici.

Je vais aux toilettes.

…

J'en ai profité pour faire un tour côté liqueurs, ça réchauffe. Un petit verre, c'est tout.

J'avais peur que le docteur descende, mais il doit lire son journal médical.

A vrai dire, deux petits verres. Et alors ? Je peux bien me réconforter un peu. J'aimerais bien vous y voir !

Journal de l'assassin

J'ai acheté un cadeau pour Jeanie. Ça lui plaira beaucoup. Je le lui donnerai demain. Pas en mains propres, bien sûr. (Surtout que Jeanie et les mains propres, ça fait deux.) Je trouverai un moyen. Tout à l'heure, je l'ai vue descendre, puis remonter en s'essuyant la bouche. Elle a dû piocher dans la cave à liqueurs. Elle n'a pas vu la porte entrebâillée : trop occupée à guetter Papa. Idiote. Elle aurait vu deux beaux yeux bleus qui la suivaient partout, comme les yeux d'un ange.

Journal de Jeanie

Un cadeau ? Il devient bien laconique. Ça m'inquiète. Pas le temps d'ergoter, j'entends une voiture qui arrive. Ce doit être Sharon, en taxi.

Tiens, je n'avais même pas pensé au taxi. Mais, en taxi, on ne va pas loin. Pas quand on est fauchée. Et puis ça laisse des traces.

Bon, je descends. Je me sens nerveuse. J'ai la bouche pâteuse.

...

3 heures. Sharon est une ravissante jeune fille, brune avec des yeux d'un noir vif. Mince et grande. Elle m'a saluée poliment, a embrassé sa tante du bout des lèvres, serré la main de son oncle.

Les garçons n'étaient pas là. Ils sont arrivés à midi, tout mouillés, ils l'ont tous embrassée. Ils étaient un peu gênés. Mark avait un dossier sous le bras, pour faire important sans doute, et Clark l'a levée à bout de bras pour montrer ses gros muscles de gros cornichon géant. Le docteur était poli, sans plus. Il n'a pas l'air d'en raffoler, c'est la fille du frère de sa femme, ça se sent. J'ai bien observé les garçons : rien à signaler.

Elle-même n'est agressive avec aucun d'eux. Elle a peut-être oublié l'incident de la chaudière. Ou peut-être qu'elle juge que c'est de l'histoire ancienne.

Ne recommençons pas ce jeu de « peut-être ci et peut-être ça », pince-mi pince-moi que je vois que je rêve pas. Jeanie, tu deviens une vraie écrivaine.

Un repas de famille bien tranquille, il ne reste plus

qu'à attendre les appréciations de Jack l'Éventreur. Jack l'Éventreur... un prénom prédestiné... Ça donne à réfléchir. Ce petit Jack, décidément...

Il faut aussi que je trouve un biais pour parler à Sharon. Et si elle me ricane au nez ? La neige s'est arrêtée, on dirait qu'il va faire beau.

6

Échanges

Journal de l'assassin

Sonnez, trompettes de l'Apocalypse ! Écroulez-vous, murs de Jéricho ! Sharon, la traîtresse, est arrivée ! L'idolâtre est dans les murs... Je viens de voir *Samson et Dalila* à la télé. C'était marrant. Chacun de nous a sûrement une force secrète. Qu'il dissimule aux autres pour qu'on ne la lui vole pas. Pas une de ces garces, en tout cas.

Moi, je ne me serais jamais laissé avoir. Dalila ou pas Dalila. Sharon ou pas Sharon. Le seul à qui je fasse des confidences, c'est toi, journal chéri, et tu ne me trahiras pas. Je ne compte pas l'espion comme confident, c'est un spectateur. Et, si je peux dire, un spectateur provisoire, très provisoire, ah, ah ! Comme l'autre, celui qui avait voulu se mettre en travers de ma route. La cinquième roue de la charrette. *Exit*, le spectateur.

J'ai été très gentil avec Sharon. Je sentais Jeanie qui nous épiait tous. Je suis toujours très poli avec les dames. Nous le sommes tous. On ne bat pas une femme « même avec une fleur », dit Maman, je n'ai jamais battu de femmes, je les supprime, c'est tout. Je plaisante, cher journal, je suis gai. Je suis un bel assassin dans la force de l'âge, dans la fleur de sa jeunesse, un chasseur sur le sentier de la guerre, un chasseur qui vient de renifler une proie fort tentante. Mais là, les copains, faut faire gaffe ! Avec tous les flics qui traînent dans le coin, il faut que je réussisse un coup fumant.

Bien sûr, espion, tu vas essayer de m'en empêcher. Bonne chance.

Je sens des pieds. C'est désagréable. J'ai l'impression de me déshabiller dans une chambre avec une fille, et elle dirait : « Ça pue », et je saurais qu'il s'agit de mes pieds, tout moites et tout chauds, avec cette affreuse odeur qui monte.

Je n'aime pas les odeurs, elles me suffoquent. Elles me font penser à des saletés.

Zut, j'ai oublié le cadeau de Jeanie, je vais le lui porter sans tarder, sinon elle croira que je ne tiens pas mes promesses.

Journal de Jeanie

Ainsi, il me joue le grand jeu. Le gars content de lui. Et il croit qu'il pue des pieds. Complexe d'infériorité, classique, docteur Watson, suffit de lire les ouvrages appropriés ! Le problème, c'est que moi, Jeanie la Forte-en-gueule, j'ai du mal à croire que des livres peuvent savoir des choses comme ça et vous décortiquer le bonhomme sans même le connaître.

Sharon est en danger. Il va la tuer, je le sais. Il s'est trop vanté, il est obligé de le faire. Il s'est mis lui-même dans l'obligation de le faire, pourquoi? Parce qu'il a peur de flancher? Parce qu'il en a pas tellement envie? Dalila... Sharon... Est-ce qu'il serait amoureux d'elle? Est-ce qu'il se sent piégé par Sharon?

Je m'aperçois que je passe plus de temps à chercher ses raisons d'agir qu'à essayer de trouver qui c'est, et que la solution est sous mes yeux alors que je persiste à la chercher dans ma tête.

Ce soir, ils ont discuté de l'accident des parents de Sharon, rien de trop grave. Sharon veut travailler dans l'informatique, comme Stark. Il en était ravi et a essayé de la brancher après le repas. Le docteur a ouvert une bouteille de sherry. Les garçons n'aiment pas l'alcool (pas comme leur père), la mère en a pris une larme et moi deux. C'est leur genre, ça, de m'offrir à boire quand ils boivent, pour pas que je me sente esseulée ou inférieure. A part ça, que les gosses me trucident, aucune importance!

On vient de taper à ma porte. De taper, vraiment, trois coups espacés. Pas trop forts. « Qui est là? » On ne répond pas. Est-ce que personne ne va se lever pour voir ce qui se passe?

On tousse derrière la porte.

Faites que quelqu'un aille pisser et dise: « Ah, c'est toi, Machin, qu'est-ce que tu fous là? » Faites ça, juste ça, c'est pas difficile, bon sang! Des pas qui s'éloignent, une porte qu'on ferme. J'entends tourner la clenche et la clé dans la serrure, ils ferment tous à clé ici. Je sors le revolver, je vais ouvrir la porte. Il y a peut-être le cadavre de Sharon devant. Je tourne la clé, rien ne bouge de l'autre côté. J'hésite un instant. J'y vais.

...

Une bouteille de gin. Une bouteille de gin posée devant ma porte. Bien pleine. Le cadeau pour Jeanie. Qu'est-ce que ça veut dire ? Je dois me contenter de boire et la boucler ? Ou bien il veut établir une relation avec moi... c'est ça, un lien, un rapport plus direct que par journal interposé, voir si je vais accepter le jeu. Me taire. En tout cas, je n'en boirai pas une goutte. Je ne te ferai pas ce plaisir, mon coco.

Mais, décidément, tu te dépenses en ce moment, petit monstre sans tête, sans tête ni queue, ah, ah, ah ! tu es perturbé, on dirait, sale vipère... Il suffirait que je décide de ne pas aller là-bas, de ne plus y aller. Rompre le jeu. Fini. Terminé.

Mais Sharon ? Partir ? Par moments, j'oublie que je dois partir. Oh, je ne sais plus, c'est toujours la même chose ! Et cette bouteille qui me nargue, je ne sais pas ce qui me retient de la flanquer par la fenêtre.

Journal de l'assassin

Ce matin, au petit déjeuner, il y avait ma cousine Sharon. Elle a mangé des flocons d'avoine et une crêpe. Elle va au lycée Shelley, Mme Blint l'y conduit en se rendant à son travail. Elles vont peut-être parler de Karen. La mère de Sharon est juive. Papa l'a dit à

Maman. Il a dit : « On ne dirait vraiment pas qu'elle est juive, elle ne tient pas de sa mère. »

Moi, je n'ai rien contre les juifs. Ce n'est pas pour ça que je vais la tuer. Les filles juives n'ont rien de différent des autres. Même chair fragile. Même gorge pour crier. Mêmes yeux exorbités.

J'ai entendu Jeanie ouvrir sa porte hier soir pour prendre sa surprise. Elle a dû être contente. Tu as été contente ?

Ma petite Jeanie que je soigne tendrement, comme une bonne oie qu'on engraisse pour Noël. Prends des forces, Jeanie. Et essaye un peu de m'empêcher de tuer la petite juive aux yeux noirs.

Les hommes du Ku Klux Klan, avant, ils brûlaient les Noirs. Sur des grandes croix de feu. Je n'aimerais pas être noir. Les gens vous empêchent de faire certaines choses suivant votre couleur ou votre origine. Papa dit que nous sommes tous égaux dans ce pays, mais ce n'est pas vrai. Les orphelins, par exemple, sont défavorisés. Et les handicapés aussi, les gens se moquent d'eux. Ils sont comme des moitiés de gens et tout le monde les déteste.

Moi, tout le monde m'aime. Je fais tout pour ça. Et tout le monde m'aime. Sauf Jeanie.

Journal de Jeanie

Tu voudrais bien que tout le monde t'aime, hein, mais comment on peut t'aimer puisqu'on te connaît pas, puisque tu n'existes pas ? T'as compris ça, que tu n'existais pas ? Du moment que tu mens, c'est comme si tu n'étais rien, qu'un rêve. Même si tu tues les gens. Ce n'est pas toi qui le fais, c'est ce rêve. Et celui que les gens aiment, c'est un autre rêve, et toi, entre les deux, tu n'es rien, qu'un passage, une passerelle. Pourrie.

Je vais copier ça et le porter là-haut. Avec les notes. Réfléchissons. Si je fais ça, ça veut dire : « D'accord, je joue. » Or, je ne veux pas jouer.

Mais ça pourrait peut-être changer quelque chose. Lui parler. Le convaincre. Lui expliquer. L'amener à accepter d'être pendu, quoi.

La grève est finie. Je peux partir quand je veux. Il faut que je calcule mes chances. S'il me dénonce, est-ce que j'aurai le temps de m'en sortir ?

C'est décidé, je tente le coup, je pars. Je laisserai un message à Sharon où je lui dirai tout. Qu'elle foute le camp aussi. J'emporterai ses notes avec moi. Ça lui fera peur. Je le sais. J'irai les prendre demain matin, dès qu'ils auront fichu le camp.

Ce soir, je fais ma valise.

Sharon,
Vous allez sans doute penser que je suis folle mais je ne le suis pas. Il y a dans cette demeure un garçon qui est malade et dangereux. Je sais qu'il a tué plusieurs personnes, dont notre petite voisine Karen, à coups de hache.

Je ne sais pas qui c'est. Je sais qu'il est fou parce

que j'ai trouvé son journal. Je ne peux pas vous le laisser, je dois l'emporter avec moi. Mais, je vous en prie, croyez-moi, et partez d'ici car il veut vous tuer vous aussi. Il l'a écrit, ne croyez pas que ce soit une blague, je vous en supplie, partez et attendez que j'aie prévenu la police.

Je ne peux pas le faire avant d'être en sécurité, mais, je vous le répète, il faut que vous partiez absolument, ou bien vous mourrez vous aussi. Le garçon qui veut vous tuer est celui qui a voulu vous jeter dans la chaudière quand vous étiez enfant. C'est tout ce que je sais de lui.

Avec toute mon amitié. Et l'espoir que vous me croirez bien que ceci ait l'air cinglé.

Votre Jeanie.

Voilà, je vais laisser ça à Sharon. Maintenant, occupons-nous des valises.

Journal de l'assassin

Sharon doit mourir, rien ne m'en empêchera. Tu as compris ?

Journal de Jeanie

Il a repris toutes ses notes, il a dû faire ça cette nuit, c'est terrible, on dirait qu'il sait ce que je pense. Pourtant, je suis sûre qu'il ne peut pas lire ceci que je garde toujours avec moi.

Ils sont tous partis. La Vieille est au salon, elle a mis la radio pour écouter les émissions religieuses. Sharon dort encore, elle n'a cours qu'à 9 heures. Mon sac est bouclé. Il est 7 heures 30. Adieu, sale baraque. Adieu, cauchemar.

Je ferai du stop jusqu'à la ville et puis, hop ! le premier autobus qui part, et *ciao* ! C'est un mot qui sent déjà le soleil. J'y vais. Je laisse la bouteille de gin. Je m'en voudrais d'emporter un cadeau de cet enfant de salaud. Et je laisse aussi mon mois de salaire en prime, tant pis, j'y vais.

Je vais laisser le mot dans le manteau de Sharon, comme ça, elle le trouvera en allant à l'école, et puis j'ouvre la porte et pfuiit !… Évanouie dans la nature. Ils mettent toujours ça dans les journaux. Mais qu'est-ce que je m'attarde ! Allez, salut.

...

Et voilà. La neige s'est transformée en pluie. Une sale pluie boueuse, qui tombe à seaux. Et voilà. Je suis de retour dans ma prison.

J'étais dans le bus, le bus qui partait pour le Sud. J'avais mon ticket. Le chauffeur est monté et a commencé à faire tourner le moteur, il était 11 heures. J'avais attendu à la gare, gelée, tassée dans un coin. J'avais peur, des flics, de mes patrons, de tout. Je transpirais en même temps que j'avais froid.

J'étais donc là, assise avec mon sac sur les genoux, et puis, soudain, je regarde par la fenêtre et je vois Mme Blint avec un grand sachet à provisions et un bonnet de ski jaune. J'ai d'abord reconnu son bonnet. Avec elle, il y avait Sharon et elles discutaient toutes les deux, et Sharon avait les mains enfoncées dans les poches de son anorak. Je les ai regardées un moment, attendrie, et puis je me suis rendu compte que c'était un *anorak*. Pas son manteau bleu marine, mais l'anorak vert de Clark, qui était pendu à côté de son manteau (je l'avais vu le matin même) et qui était plus chaud que son manteau, ça c'est sûr.

Et alors je me suis dit qu'elle ne pouvait pas avoir lu mon message puisqu'elle n'avait pas son manteau. Et là, elles se dirigeaient vers la voiture de Mme Blint, qui était garée un peu plus bas, couverte de neige qui fondait.

Et moi, Jeanie aux brillantes idées, je ne savais pas quoi faire.

Le chauffeur a dit : « On y va. » J'ai pensé : Sans doute qu'elle trouvera mon message en rentrant, sans doute que je n'ai pas à m'en faire, mais, si le cinglé a mis la main dessus, on ne sait jamais. On ne sait jamais et l'incertitude, dans cette histoire, ça se termine par un beau cercueil en bois de chêne.

Mettez-vous à ma place. J'ai crié : « Un moment ! » Je me suis levée, je suis descendue du car. « Alors, vous partez ou pas ? a gueulé le chauffeur. – Non ! » Je l'ai dit malgré moi, c'est ma bouche qui l'a dit. J'ai fait le tour du car, je les ai vues qui marchaient devant moi, j'ai hoché la tête. Il suffisait que je les rattrape et que je dise à Sharon : « Il faut que je vous parle ! » Il suffisait de ça.

Je me suis rapprochée en me tordant les pieds dans

la boue et puis j'ai vu le break des garçons contre le trottoir, et Sharon est montée dedans en riant. Ils ont démarré. J'ai crié : « Madame Blint ! » Elle n'a rien entendu.

J'ai crié plus fort, Mme Blint s'est retournée, je me suis approchée : « Oh ! Bonjour, Jeanie. » Elle avait les yeux tristes, comme d'habitude. « Bonjour, madame, je suis venue faire des courses pour Noël, vous pouvez me ramener ? – Bien sûr. » On est montées dans la voiture.

Il faisait chaud. Ça sentait le chien mouillé. J'ai dit : « Elle est gentille, cette petite Sharon. – Oui, elle me rappelle ma pauvre Karen. » Allons bon. J'ai fermé ma gueule jusqu'à la maison. Je suis descendue, j'ai remercié. Dans le jardin, ils jouaient aux boules de neige, je suis entrée. La Vieille s'est précipitée : « Mais enfin, Jeanie, où étiez-vous ? Les enfants sont déjà là ! » J'ai enlevé mon manteau gris, je suis allée poser mon sac dans ma chambre.

Elle m'a crié d'en bas : « Mais enfin, expliquez-vous ! – Excusez-moi, Madame, je me suis souvenue que c'était l'anniversaire de ma mère, je suis allée lui envoyer un télégramme. – Vous auriez pu me prévenir, vous ne croyez pas ? – Je l'ai fait, mais vous n'avez pas dû entendre, avec la radio, je vous prie de m'excuser, Madame. – Ces filles ont de ces coups de folie parfois… », qu'elle a marmonné en retournant à la cuisine. Je suis redescendue, j'ai lancé : « Je viens vous aider » tout en fouillant dans le manteau bleu, mais il n'y avait rien dans le manteau bleu, pas de message, rien.

« J'ai fait de la fricassée, a dit la Vieille. – Très bien, Madame. » Ma voix était gracieuse comme celle d'un crapaud. On a sonné. Je suis allée ouvrir. Sharon est entrée en riant, les joues rouges, puis Mark, Jack, Stark et Clark, tous excités et humides, puis le docteur qui lissait ses cheveux.

Zut, pas le temps de raconter la suite, je dois descendre. Bon sang de bonsoir, j'en ai ma claque.

Journal de l'assassin

Matinée bien remplie. Papa s'est rendu à son cabinet, Mark est allé au bureau, Jack et Stark à leurs foutus cours, et Clark à l'hôpital pour une séance de dissection.

Je suis resté un moment où je devais être (au choix : bureau, hôpital, université ou Conservatoire) et puis, comme c'était l'heure de la pause, j'ai regagné le break. Nous en avons chacun une clé. On a passé notre permis tous ensemble l'année dernière. J'ai mis le contact et je suis revenu ici. Je n'étais pas tranquille. Tu comprends, cher journal, je me méfie un peu de Jeanie en ce moment. Elle semble déboussolée et donc prête à faire des bêtises.

J'ai garé la voiture derrière la maison. A cette heure-là, tout le monde est en ville ou bien chez soi, comme Maman. J'ai ouvert la porte tout doucement, j'ai entendu la radio et la voix de Maman qui chantonnait, je suis monté à l'étage sans faire de bruit. Je me déplace toujours sans faire de bruit, comme les chats. J'ai tourné la poignée de la porte de Jeanie, je n'entendais pas Jeanie. J'ai écouté plus attentivement, je n'entendais que le bruit de Maman et j'avais très peu de temps.

J'ai sorti mon couteau, j'ai ouvert la porte, la pièce était vide. La bouteille encore pleine était sur la table, et rien d'autre. Jeanie était partie, je l'ai senti tout de suite. Elle m'avait pris pour un imbécile. Comment était-il possible que tu aies abandonné cette pauvre petite Sharon ? Je t'avais cru plus morale, Jeanie, plus vertueuse, toujours à donner des leçons aux autres... vraiment, j'étais déçu. Est-ce que tu n'aurais pas au moins essayé de l'avertir du danger terrible auquel elle était exposée ? Est-ce que tu aurais essayé de me doubler, Jeanie ?

Et tu avais essayé, n'est-ce pas ? Mais les dieux sont contre toi, on dirait, ma vieille, parce que j'ai récupéré le message et je vais tuer Sharon. A bon entendeur... salut !

Et je sais déjà comment, où et quand.

Journal de Jeanie

Avant de revenir dans ma chambre, je suis passée voir et j'ai lu ça. Qu'il allait la tuer et qu'il avait pris le message. A midi, ils ont tous mangé de bon appétit. Je n'ai pas pu être seule avec Sharon un seul instant. Il y en avait toujours un dans mes pattes. Ils tournent autour de cette fille comme des mouches autour d'un étal de viande

Ça m'inquiète, qu'il soit revenu ce matin. Ça veut dire qu'il n'hésite pas à prendre des risques, et aussi qu'on peut se balader ici sans que personne n'entende rien et que, des fois où je me croyais seule, je ne l'étais peut-être pas. Peut-être pas. J'en ai froid dans le dos.

Je reste. Au fond, je n'ai pas grand-chose à perdre, sinon la vie, mais il y a des choses qu'on ne peut pas laisser faire et puis, je ne sais pas, je m'englue. Je m'enfonce.

Est-ce qu'il me drogue ? Est-ce qu'il drogue ma nourriture ? Impossible. Quand ils sont là, je suis presque toujours dans la cuisine. Est-ce que cette bouteille de gin contient de la drogue ? Il faudrait que je la goûte. Non.

…

J'ai ouvert la bouteille et je l'ai reniflée.

Ça sent le bon gin. Rien d'autre. J'en ai pris une gorgée et je l'ai avalée. J'attends.

Rien. Du gin, c'est tout. Je ne comprends pas. J'ai fini de lire le deuxième bouquin. Il est 6 heures, ils vont rentrer ; rien appris de nouveau.

Toujours les mêmes énigmes. Et une vieille Jeanie fatiguée.

7

Smash

Journal de l'assassin

Ce soir à table, Sharon a demandé si on pensait aller faire du ski. Papa a dit : « Bien sûr, s'il continue à neiger comme ça, on ira dimanche. » Elle a souri.

Elle est jolie quand elle sourit. Mais c'est normal, c'est son sourire pour attraper les gogos, sourire attrape-nigauds.

Ça ne marche pas avec moi, ma petite.

Je t'ai regardée, Jeanie, pendant que tu servais avec tes grosses mains rouges de fille de ferme, tu nous épiais tous. Tu m'as regardé un moment d'un air pensif, avant de passer à un autre d'entre nous. Tu m'as regardé, je t'ai vue me regarder, tu voyais mes yeux et mon visage, mais derrière cette paire d'yeux que tu regardais il y avait *moi*, comme deux autres yeux brûlants fixés sur toi et que tu n'as pas vus.

Finalement, tu m'amuses, ma pauvre Jeanie, mais tu ne sais pas voir derrière les apparences.

Pour en revenir à Sharon, cher journal, on va tous demain au cinéma, une belle salle obscure, pleine de bruits divers : bruits de pop-corn, bruits de bouteilles, bruit d'une jeune fille qu'on poignarde...

Salut, Jeanie, salut, journal, j'ai sommeil, je mets mon pyjama et je fonce au lit.

Journal de Jeanie

16 heures 30. Décidément pas de chance. Je n'ai pas pu monter ce matin, vu que la Vieille était malade, migraine ou je ne sais quoi, et qu'elle est restée dans sa chambre tout le temps.

A midi, impossible de parler à Sharon seule à seule, ils faisaient un Scrabble tous ensemble. Maintenant, ils sont partis. Ils ne rentrent pas manger ce soir parce qu'ils emmènent Sharon au cinéma. Le docteur doit y aller avec eux. On ne peut pas dire qu'ils les laissent respirer, ces gosses, mais enfin... vu les circonstances, tant mieux.

La Vieille est en bas devant la télé, je vais faire un saut jusqu'à sa chambre.

...

Dieu de Dieu, le fils de chien ! Il faut que j'aille là-bas ce soir ! Mais comment osera-t-il avec son père à côté ? Est-ce qu'il bluffe ? Pour me faire peur ? Pour me voir arriver en sueur au ciné et se payer ma tête par en dedans, « derrière ses yeux », comme il dit.

Mais je ne risque rien à y aller, question de prudence, et elle, encore moins que moi. Je vais demander ma soirée, puisqu'ils sont de sortie. Pourvu que ce ne soit pas un coup fourré !

Journal de l'assassin

Imbécile ! Tu avais l'air maligne, assise un peu à l'écart, avec ton vilain manteau de pauvre. Heureusement, personne ne sait que tu es notre bonne, parce que j'aurais eu honte. Papa t'a fait un petit signe, mais j'ai bien vu qu'il était contrarié.

Sharon était assise au bout de la rangée, entre Papa et le mur, alors, que tu viennes ou pas, ce n'aurait pas été pour ce soir, ma grosse, désolé de t'avoir dérangée pour rien. Mais c'était quand même un beau film, non ? Un peu sanglant peut-être. De nos jours, on ne peut pas aller au cinéma sans voir quelques beaux meurtres bien juteux, et tu sais, ma vieille, c'est ça, le progrès, et moi, ça me botte !

Si tu ne réponds jamais, je vais me lasser de te parler. Je vais devoir changer ce journal de place.

Dimanche, on va skier. Belle journée en perspective. Falaises à pic, fixations qui déchaussent, cou brisé, la la la, Jeanie, je t'emmerde.

Journal de Jeanie

Je m'en fiche, j'irai. Je ne sais pas skier, mais je les observerai, il ne pourra pas l'emmener à l'écart.

Lui répondre... J'y ai pensé, mais ça me fait peur.

Et puis, est-ce que ce ne serait pas comme d'être complice ?

Au cinéma, il y avait plein de monde. Le docteur m'a vue, il m'a fait un signe, il serrait la petite de près, ce vieux porc. Le fiston n'avait sûrement pas prévu ça, que le vieux cochon se la garderait pour lui tout seul. J'y suis allée pour rien, en plus le film était moche, une histoire de gangsters à la gomme, qui finissent en taule, bien entendu. Moi, au cinéma, j'aime rire. Mais qu'est-ce que je perds du temps à raconter ma vie…

Quoique, du temps, j'en aie à perdre. Ce matin, ils sont partis très vite, mais ce soir je parlerai à Sharon. En même temps, je demanderai au docteur pour le ski. Il n'osera pas dire non. Il aime trop jouer les grands seigneurs. Et puis je m'occuperai du pique-nique. Je vais déjà en parler à la Vieille. Si elle venait, ça résoudrait tout. Une balade en famille…

Journal de l'assassin

Jeanie devient gênante. Elle tourne autour de Sharon. A table, elle s'est permis de demander à Papa si elle pouvait venir dimanche en promenade avec nous. Quel sans-gêne !

Si elle croit que ça va m'empêcher de mettre mes plans à exécution, elle se trompe.

Sharon m'a regardé d'un drôle d'air, ce soir. J'ai pris mon visage le plus innocent. Je n'ai pas aimé ce regard. C'est comme si elle soupçonnait quelque chose.

Mais c'est impossible. Elle ne peut pas se méfier à cause de ce qui s'est passé il y a si longtemps. Elle ne peut pas deviner que...

C'était comme si elle sentait instinctivement que je joue la comédie. Ça ne me plaît pas. Sharon est un danger pour moi. Il faut que je l'élimine. Quand elle me regarde, j'ai envie de baisser les yeux.

Quant à toi, Jeanie, tire-toi de mes pattes, je n'ai plus envie de jouer.

Journal de Jeanie

D'accord, mon bonhomme, mais moi, je n'ai pas envie d'abandonner la partie, pas maintenant.

Beaucoup de choses se sont passées ce soir. Avant de passer à table, j'ai réussi à coincer Sharon dans le vestibule.

Les gosses regardaient un jeu à la télé et la porte était poussée. On était tranquilles pour cinq minutes. Je me suis raclé la gorge : « Sharon, il faut que je vous parle, il y a quelque chose de pas normal ici. – Que voulez-vous dire ? – Je veux dire qu'il y a quelqu'un ici qui cache quelque chose. Quelque chose de grave. Un des garçons, ici, fait des choses qu'il ne dit à personne, j'ai lu son journal. – Quel genre de choses ? – Vous n'allez pas me croire, Sharon, mais je vous jure que c'est vrai, il tue des gens. »

Sharon m'a regardée d'un drôle d'air et a un peu reculé.

« Je ne suis pas ivre, croyez-moi, je vous en prie, c'est pour votre propre sécurité que je vous dis ça. – Je ne comprends pas. Si vous savez cela, pourquoi ne dites-vous rien ? – Je ne sais pas qui c'est, vous comprenez ?! – Vous venez de dire que vous avez lu son journal ! – Oui, mais il dissimule son identité, oh ! c'est trop compliqué à vous expliquer en détail, tout ce que je sais, c'est qu'il s'agit du garçon avec qui vous vous êtes battue quand vous étiez enfant, celui qui voulait vous jeter dans la chaudière, vous vous rappelez qui c'était ? Dites-moi son prénom, Sharon, c'est tout ce que je vous demande. – Son prénom ? – Oui, son prénom, lequel était-ce ? même si vous croyez que je suis une pauvre folle, dites-le-moi. – Écoutez, Jeanie, vous m'étonnez, ce que vous me dites est tellement étrange ! »

Le docteur est remonté de la cave à cet instant-là et a demandé à Sharon si elle aimait le vin blanc, Sharon a dit oui. La Vieille a ouvert la porte de la cuisine, ça puait le brûlé : « Jeanie, Jeanie, venez vite ! » « Je vous verrai tout à l'heure », a chuchoté Sharon en suivant le docteur qui lui parlait des vignobles de Californie. J'ai regagné la cuisine.

Après le repas, pendant que je débarrassais, ils sont tous allés au salon, voir le western à la télé. Pourvu qu'elle ne leur dise rien. Elle a dû me prendre pour une cinglée.

Je suis dans ma chambre. J'attends. Elle va peut-être se décider à venir. Je boirais bien un coup de gin. Non. Bon.

Je n'ai plus de cigarettes, évidemment. On marche dans le couloir. Quelqu'un qui vient, qui va aux toi-

lettes… Chasse d'eau, on revient, on passe devant ma
chambre, on s'arrête, on gratte. Je vais ouvrir.

…

C'est inouï ! Comment peut-elle ne pas s'en souvenir ?

« Écoutez, Jeanie, personne n'a jamais tenté de me
mettre la tête dans une chaudière. – Mais enfin, je l'ai
lu, il l'a écrit ! – Vous les avez, ces notes ? – Non, il les
a reprises. – Ah oui, bien sûr ! » (Elle m'a regardée
d'un drôle d'air.) Je lui ai tout raconté, Karen tuée à
coups de hache et tout ça… je ne l'ai quand même pas
inventée, Karen !

C'est affreux, je doute de moi. Je doute de ce que
j'ai lu. Et si ? non… si c'était moi qui étais dérangée,
qui inventais tout ça ? si c'était moi qui m'inventais un
double, un double qui, à ma place…? non, non, je ne
veux pas me fourrer ça dans la tête.

Sharon m'a chuchoté : « Je vais essayer de me souvenir, je vous le promets, je vais vraiment essayer, ne
vous en faites pas, calmez-vous. »

Mais je ne suis pas dingue, bon Dieu ! Non, Jeanie,
pas de gin, ma fille, oh, et puis juste une goutte, ça ne
me fera pas de mal. Ouaaah, c'est fort !… Je ne suis pas
dingue. Je suis restée bien calme et je lui ai tout
raconté. Je lui ai même fait écouter le magnéto.

« N'importe qui peut chuchoter comme ça, m'a-
t-elle dit, ça pourrait même être une femme, on dirait
une voix d'enfant, c'est vraiment aigu comme voix… »
Je devine ce que tu essayes d'insinuer, Sharon, que je
suis une vieille fille aigrie, une faiseuse d'embrouilles,
une dangereuse cinglée, et peut-être pire, et tu vas te

renseigner sur mon compte et ça ne va pas arranger mon image de marque.

Et si elle prévient la police ? Je ne peux pas courir ce risque, je dirai que c'était une blague... Quelle salade !

Zut, j'ai fait une tache, j'ai horreur des cahiers tachés, allez, je ferme ça et je vais finir mon verre au lit. Bonsoir, Jeanie.

Journal de l'assassin

Après-demain on va au ski, après-demain on va au ski, la la itou, la la iti, t'aimes quand je chante, vieille carne ? Comme tu as dû t'en apercevoir, je n'écris plus rien d'intéressant ici, juste de quoi t'occuper. Est-ce que j'aurais une autre cachette ? Quel mauvais biographe tu feras quand je serai mort, avec toutes ces lacunes sur ma délicieuse personnalité !

Pas le temps de m'amuser avec toi. Désolé !

Journal de Jeanie

J'ai encore mal à la tête. Je me suis réveillée en sursaut, avec un goût de gin dans la bouche, je n'avais pas entendu le réveil. J'ai filé en bas. Sharon était en train de déjeuner, et il y avait également Mark qui regardait un dossier en mangeant un toast, et Clark debout en train de finir la bouteille de lait. J'ai eu l'impression que Clark me lançait un mauvais regard, mais ça a été tellement rapide... « Eh bien, Jeanie, vous n'avez pas entendu votre réveil ? Nous avons dû nous débrouiller tout seuls », m'a dit la Vieille, gentiment, je le reconnais.

J'avais l'impression d'avoir une division de blindés sur la langue. « Excusez-moi, Madame, je suis un peu fatiguée en ce moment. – Vous vous reposerez demain, a dit la Vieille. – Oui, Madame », lui ai-je répondu bien poliment, en commençant à faire la vaisselle.

Sharon s'est levée pour débarrasser son bol, Clark est sorti, puis Mark, nous sommes restées seules.

Sharon me passait les bols. « Vous savez, Jeanie, j'ai réfléchi à ce que vous m'avez raconté. Je ne vous cache pas que c'est difficile à croire, mais, d'un autre côté, c'est vrai qu'il y a quelque chose d'étrange ici. Vous êtes peut-être victime d'une blague ? – Non, non, ce n'est pas une blague ! Karen est vraiment morte ! – Je veux dire, peut-être qu'il y a quelqu'un d'un peu malade, disons quelqu'un qui aime s'inventer qu'il est l'auteur de ces, de ces meurtres, mais ça ne veut pas dire que c'est vrai, il veut vous le faire croire, c'est tout. – Mais non ! Pour la fille de Demburry, je l'ai lu avant que ce soit dans les journaux, *avant*, vous comprenez ? – Enfin, Jeanie, vous les connaissez bien tous les quatre, ce n'est pas possible qu'il y ait un tueur parmi eux ! – Alors pourquoi vous trouvez qu'il y a quelque chose d'étrange, pourquoi ? – Je ne sais pas, parfois j'ai l'impression qu'on m'observe, qu'on m'épie, vous voyez ce que je veux dire ? mais je suis très émotive, vous savez, je me méfie de mon imagination ! »

Je l'ai regardée bien en face : « Vous ne vous souvenez vraiment pas de cette histoire, Sharon ? C'est tellement important, je ne comprends pas que vous ayez pu l'oublier ! » Elle a paru hésiter, a baissé la voix : « Je n'aime pas beaucoup penser à ces vacances, parce que c'est tout de suite après que le pauvre Zack... – Zack ? – Chuuut, ne prononcez jamais son nom ici ! – Mais qui est-ce ? – Zacharias, leur frère, m'a-t-elle murmuré. – Quoi ? – Oui, leur frère. Il est mort quand il avait dix ans, juste après ces vacances-là. Ma tante a eu un choc terrible ! Il était allé patiner sur le lac qui avait gelé et la glace a cédé sous son poids. Quand les autres sont arrivés, il était trop tard... (Elle a regardé sa montre.) Je vais être en retard, il faut que je file ! (On entendait Mme Blint klaxonner.) A tout à l'heure, je ne rentre pas déjeuner, je dois aller à la bibliothèque ! »

J'en suis restée comme deux ronds de flan ! C'est pire que les lapins, il en sort de partout ! Je comprends maintenant pourquoi la Vieille est à côté de ses pompes. Et c'est peut-être ça qui l'a rendu cinglé, l'autre zigoto... L'hypocrite, il m'en avait pas parlé, de ce Zacharias. A croire qu'il avait pas envie qu'on en parle... Stop, je dis n'importe quoi. Zacharias March... mais oui, Z. M., c'était lui, le petit costume ! Faudra que je me renseigne sur cette histoire, mais le plus urgent pour l'instant, c'est Sharon. Au moins, elle me croit, je le sens. Cette sensation qu'on l'espionne, c'est bizarre comme elle est intuitive. Une brave gosse. Je suis sûre qu'elle va s'en souvenir. J'en suis sûre ! Et tout sera résolu ! Je n'arrive pas à y croire...

A midi, ils étaient mornes, on voyait que la petite

leur manquait, ça fait du bien, une fille, dans cette maison, ça allège l'atmosphère.

Autre chose : j'ai fouillé de nouveau leurs chambres pour voir s'il n'y avait pas les feuilles manquantes. Je n'ai rien trouvé, bien sûr. Il paraît qu'il y a une histoire comme ça où on cherche une lettre qui est en fait sur la table, exposée aux regards.

Du coup, je vérifie mon journal... s'il écrivait dans mon propre journal... non, quelle idée absurde. Parfois je me demande où j'ai la tête !

Journal de l'assassin

Alors, espion, Sharon et toi, c'est copains comme cochons ? Tu crois que personne ne remarque vos petites messes basses ? Fourre-toi dans ton crâne épais que je suis omniscient. Mais tu ne sais même pas ce que ça veut dire. De quoi elle te cause, Sharon ? De notre bienheureuse enfance ? De son cher et bien-aimé Zack ? Je te dis que je sais tout !

Laisse ton groin loin de Zack. Zack, c'était un saint. Il suait la gentillesse par tous les pores. Toujours prêt à rendre service. Toujours poli. Parfait, quoi. On avait toujours l'air sale et méchant à côté de lui. Une perle, Zack ! J'ai drôlement pleuré quand il est mort, tu me connais. La vie est tellement injuste. Tu vois, déjà, il avait failli ne pas naître, oui, il était arrivé en dernier, la sage-femme pensait qu'il serait mort. Il a eu dix ans de rab, c'est déjà pas mal. « Un si brave petit », comme disait Maman. Un vrai chouchou. Un peu trop curieux, peut-être. Toujours à me coller au train comme si j'allais faire des bêtises ! Par exemple, ce jour-là avec Sharon, dans la cave, il était planqué à nous regarder. Quand je me suis relevé, je l'ai vu. Il me dévisageait avec ses yeux de curé. Un reproche vivant. Et tu sais quoi, Jeanie ? Moi, les reproches, je les préfère morts. Enfin, pauvre, pauvre Zack... Paix à son âme ! Mais aussi, quelle idée stupide d'aller patiner sur un lac gelé et de se maintenir la tête sous l'eau jusqu'à ce qu'on ne respire plus ! Ne dis pas qu'il a eu ce qu'il méritait, Jeanie, montre-toi un peu bonne chrétienne !

Journal de Jeanie

Il l'a fait. Il a fait ça ! Il a tué son propre frère ! Sharon, va-t'en d'ici, il n'y a aucune pitié en lui, aucune humanité, pas une once. Je divague. Il dit ça pour m'effrayer. C'était sûrement un accident. Sûrement. Comment savoir ? Je ne peux tout de même pas interroger la Vieille...

C'était certainement de lui qu'il parlait quand il disait « l'autre espion ». Le « spectateur provisoire »... La « cinquième roue de la charrette », c'est le cas de le dire. Mais c'est pour ça que la Vieille ne sort que pour aller au cimetière ! Pour fleurir la tombe de son gamin que l'autre a... On est en plein délire !

Journal de l'assassin

Quand tu liras ces lignes, Jeanie, il sera trop tard.

Journal de Jeanie

Pas eu le temps de monter lire ce qu'il a pu laisser cet après-midi. Tant pis. Je tombe de sommeil. J'ai bu une verveine avant de monter : ils ont fait une tisane pendant que je débarrassais la salle à manger, et maintenant je dors debout !

Par contre, j'ai une bonne nouvelle, une excellente nouvelle ! Avant de manger, Sharon est venue traîner vers la cuisine. Je suis sortie et elle m'a chuchoté : « Je crois que je me souviens, ça m'est revenu d'un coup cet après-midi, pendant le cours de maths, le souvenir d'une bagarre, j'étais très méchante, je tapais fort sur quelqu'un, de toutes mes forces, j'étais furieuse, vraiment, quelqu'un qui crie, qui se débat, je vois la porte ouverte de la chaudière, toute rouge, je sens la chaleur, mais je ne vois pas sur qui je tape, c'est très confus, comme dans un rêve, vous voyez, mais je ne sais pas, c'est peut-être mon imagination, on se bagarre souvent quand on est enfant, vous savez !... – Oh, je vous en prie, Sharon, faites un effort ! – On en parlera demain à la montagne, on sera plus tranquilles ! » Elle a ouvert la bouche comme pour ajouter quelque chose et puis elle s'est ravisée : « Non, c'est impossible. – Quoi donc ? – Rien, on verra demain. » La Vieille est arrivée : « Alors, les jeunes, on fait des cachotteries ? » Elle est gaie en ce moment. Tant mieux pour elle. Je suis allée chercher le plat de charcuterie. Vivement le matin, je suis sûre que je saurai tout !

Ce que j'ai sommeil, le stylo me gliiiisse dees maiiiins, c'est amusant, je me sens dans les vapes, rien bu pourtant, juste la tisane, si la tisane vous saoule, maintenant, même pas envie de gin, juste envie de dormir, dormir. Demain faut être en forme, formidablement en forme, au pieu !

...

C'est grave. C'est très grave. Je vais prévenir la police et sans doute que je ne reviendrai pas ici. Mais je ne peux pas faire autrement. Il est midi, et je suis dans ma chambre. La Vieille bricole dans le jardin. C'est une catastrophe et je ne me l'explique pas.

Peut-être des gens liront ceci un jour, alors il faut que je sois précise. Je me suis réveillée toute lourde, avec le crâne en charpie, les yeux gonflés, envie de vomir. Je me lève. Je regarde autour de moi, il fait grand jour. Grand jour quand il devrait être 7 heures ! à 7 heures en cette saison, il n'y a pas ce soleil.

Je vais à ma porte : il m'a enfermée, il m'a enfermée ! mais non, la porte s'ouvre. La porte s'ouvre sur la maison calme, très calme, silencieuse, juste le bruit de la radio en bas, je dévale les escaliers, j'arrive comme une folle : « Qu'est-ce qui se passe, qu'est-ce qui se passe ? » La Vieille me regarde avec des yeux ronds, son arrosoir à la main : « Ça ne va pas, Jeanie ? – Où est-ce qu'ils sont ? – Vous savez bien qu'ils allaient à la montagne, Jeanie, vous êtes malade ? – Mais je devais y aller avec eux, vous le saviez ! » Elle recule, inquiète, je le vois dans ses yeux, l'eau coule de l'arrosoir sur la moquette. « Jeanie, je n'y peux rien. – Pourquoi vous ne m'avez pas réveillée, que je hurle, pourquoi ? – Jeanie, voyons, vous aviez laissé ce mot dans la cuisine… – Quoi ! ? Quoi ? »

Je m'avance sur elle, avec ma chemise de nuit raccommodée, mes cheveux dans les yeux. Elle heurte la table. « Ce mot dans la cuisine… Vous ne vous sentez pas bien, Jeanie ? » Je cours à la cuisine, il y a un papier sur la table, un papier blanc, je m'arrête, je le regarde.

J'avance. Je tends la main, je vois ma main avancer, c'est étrange, elle est toute blanche. Je prends le morceau de papier, un bout de papier avec deux lignes :

Finalement, je suis trop fatiguée, je préfère dormir, excusez-moi, j'espère que vous vous amuserez bien.
Jeanie.

Deux lignes de mon écriture.

Pas vraiment mon écriture, en fait, mais ça y ressemble. Je pose le papier, je me retourne : « Excusez-moi », dis-je à la Vieille. Je me sens vieille moi aussi, je remonte, je vais dans la chambre… « Quand tu liras ces lignes, il sera trop tard… » Salaud, salaud, j'ai envie de pleurer, je ne veux pas pleurer, je ne pleurais pas quand mon père me cognait. Je n'ai pas pleuré quand ils m'ont dit que j'en avais pour deux ans. J'ai envie de pleurer, quelle affreuse sensation, je suis tellement fatiguée !

Le téléphone sonne. J'ai peur. La Vieille décroche. Je n'entends rien. J'ai un nœud dans l'estomac. Elle raccroche. Elle m'appelle. Mon Dieu, mon Dieu, je vous en prie.

...

Sharon a fait une chute. Une chute de deux cents mètres.

Sharon est morte.

...

Je me suis étendue un moment et maintenant ça va mieux, mais je me sens encore toute molle. Ils ne sont pas revenus, mais ils ne vont pas tarder. La Vieille se tord les doigts et pleurniche. Elle a dû téléphoner à l'hôpital, pour prévenir les parents de Sharon. Je n'aurais pas voulu être à sa place. C'est une tragédie, il n'y a pas d'autre mot.

Mais je ne permettrai pas que ça continue comme ça. Il n'est plus question que je parte. Sharon était une brave fille, courageuse et intelligente. Je jure que sa mort ne restera pas impunie. Et je n'ai pas l'habitude de mêler les flics à mes affaires. Je réglerai son compte à ce petit porc sans l'aide de personne. Mais définitivement. Dieu me pardonne.

...

Je me relis et je suis effrayée par cette soif de vengeance et de violence qui me tient. Il faut que je réfléchisse. On sonne, c'est eux. Il y a d'autres voix, ce doit être la police.

Journal de l'assassin

Je l'ai fait. Je l'ai fait ! Elle s'est approchée du vide pour regarder le village en bas. Elle skie mieux que nous, elle avait pris la piste noire, à travers bois. Le brouillard est venu, merci Petit Jésus, un bon brouillard dense, lourd, on s'est tous perdus, forcément.

Elle, elle s'est arrêtée un moment, après le virage, tout près du vide, elle s'est penchée en avant, pour regarder en bas le beau panorama... Je glissais doucement vers elle, sans bruit, juste le bruit de la neige qui tombait dans le brouillard. C'est un instant merveilleux, le souvenir de cette neige blanche tombant dans le ciel blanc, avec la silhouette rouge de Sharon.

Elle a tourné la tête, elle m'a vu, elle a levé son bâton, pour me faire signe, et ses cheveux volaient sous la neige. Elle a souri, elle m'a souri, elle était contente de me voir.

J'ai continué, je sentais mon visage sourire lui aussi, je sentais mes muscles durs autour de ma bouche, le froid sur mes dents, et donc je devais sourire, mais elle a baissé le bras, et puis j'ai vu son visage devenir brusquement pensif, puis, très vite, inquiet, comme frappé de stupeur. Elle a tendu le bras vers moi, pour me repousser, j'ai souri et souri, et ses yeux étaient immenses de peur.

Je suis arrivé droit sur elle à toute allure. Elle a essayé de glisser sur le côté, son bâton est parti vers mon visage, je l'ai saisi dans ma main, je l'ai jeté sur le sol, je souriais, « Non, non ! », disait sa voix. Elle a crié : « Au secours, je le savais ! » Elle a répété : « Je le savais ! » Son visage tout près du mien... Je l'ai poussée en arrière de tout mon élan, elle a dérapé sur la neige verglacée, « non, non ! », disait la voix, avec sa figure orgueilleuse ! Elle a battu des bras, ses yeux étaient terribles.

J'ai freiné juste au bord du vide, elle, elle s'est envolée, comme un oiseau en anorak, avec un cri très long. Elle a flotté dans le brouillard pendant quelques secondes. Je ne suis pas resté, on ne la voyait plus, elle volait sous la neige, avec ses skis tendus vers le sol, tout en bas. Je suis reparti d'une poussée, j'ai coupé par le bois, et je suis revenu au départ du téléski, je suis remonté, et puis nous nous sommes tous rejoints sur les pistes, et nous avons skié un moment jusqu'à ce que Papa s'inquiète.

Ils l'ont trouvée presque tout de suite, parce que des skieurs de fond étaient passés à côté d'elle. Elle était cassée en plusieurs morceaux. Il paraît que c'était bizarre à voir, ça faisait des angles droits, et c'est Papa qui est allé l'identifier.

Nous, on a attendu Papa au bar. Les gens nous montraient du doigt et nous plaignaient. Nous étions affligés. Mark avait les larmes aux yeux, il a dû sortir prendre l'air un moment, Stark faisait craquer ses doigts sans arrêt, Clark a bu un cognac, il était tout blanc, et Jack se rongeait les ongles, les yeux perdus dans le vide.

Papa est revenu, avec la police, un accident, bien sûr, avec le brouillard elle a raté son virage, pas de balises, piste noire interdite par mauvais temps, elle avait trop confiance en elle, exact, ça ne lui a pas réussi.

Dans la voiture, personne n'a rien dit. Papa se mordait les lèvres, il conduisait vite et mal. Les gens ont toujours de mauvaises réactions face aux événements imprévus, ils n'ont pas de nerfs. Moi, j'étais calme à l'intérieur de moi. Je sifflotais dans ma tête pendant que mes yeux étaient occupés à pleurer comme ceux des autres.

Évidemment, ici, c'est le vrai folklore! Jeanie a pleuré et Maman aussi. Les parents de Sharon doivent venir. Elle est à la morgue, où ils vont l'arranger pour l'enterrement.

Et toi, Jeanie, tu n'étais pas là.

Pourquoi tu n'étais pas là? Elle serait toujours vivante, tu sais.

Journal de Jeanie

Police, questions, un regrettable accident... Je n'arrête pas de sangloter maintenant que le choc est passé et les gosses me regardent... La Vieille reste pendue au téléphone, y a plein de gens qui appellent. Le docteur se sert du brandy et fume sans rien faire, moi je chiale. Les flics ont dit que c'était vraiment un stupide accident et puis ils se sont barrés, c'est dimanche!

Je suis montée et j'ai trouvé son papier. (Son «papier», comme pour un reporter!) Comme je pleurais, j'ai fait des taches dessus, mais je m'en fous. S'il a pu me droguer, il peut bien faire pire. Je pense que c'était dans la tisane. Et moi, je me méfiais de son

cadeau, du gin, que je suis bête ! Je n'y vois rien à
cause de mes larmes, j'écris tout de travers.

Ils ont laissé les skis dans le couloir, il faut que
j'aille les ranger au garage, il y a ceux de Sharon aussi.

C'est ma faute, je le sais, et quand je dis son nom,
« Sharon », je pleure deux fois plus. Il faut que j'arrête
ou je vais devenir folle. Je vais boire un verre et me
coucher, fermer la porte à clé, dormir avec le flingue.
La nuit porte conseil. Il faut que je le trouve et que je
le tue.

   …

J'ai porté les skis au garage. Je les ai rangés contre
le mur du fond. Là où il y a les vieux habits de jardin.
Dans les vieux habits, il y avait un pantalon. Un pantalon à carreaux. Plein de graisse, mais pas de sang. Il a
donc menti. Et pendant que je le croyais, il a eu le
temps de nettoyer tranquillement le sien. Il me ma-
nœuvre comme une enfant. Il ment comme il respire. Je
dois apprendre à lire entre les lignes.

Les skis de Sharon sont plus petits que les leurs. Je
les ai mis un peu à l'écart. Il y en a un qui est brisé.

On l'enterre après-demain.

   …

Ce matin, c'est sinistre ici. Les gosses traînent dans
la maison. Personne ne parle. Cette nuit, j'ai fait des
cauchemars. J'ai rêvé qu'on m'étouffait sous un drap.
J'ai crié. Je me suis réveillée les cheveux collés de
sueur. Je suis montée voir, mais il n'y a rien d'autre.
Pour midi, j'ai fait du bouillon de poulet.

Journal de l'assassin

Par la porte entrebâillée, j'ai regardé Jeanie faire la cuisine. Je voyais ses mains rouges, son tablier, ses pieds, ses grosses jambes. Je n'ai pas faim.

Nous sommes tous très fatigués. Nous avons besoin de souffler. Les événements de ces derniers temps ont été trop rapides. Nous ne sommes pas des machines, n'est-ce pas ? J'ai rêvé de Sharon, elle était sous un drap blanc, elle criait. Je lui ai tapé dessus jusqu'à ce qu'elle se taise.

Il ne neige plus. Il fait très sombre alors qu'il est à peine 3 heures. Après-demain, on enterre Sharon. Nous avons commandé une belle couronne de fleurs rouges et blanches avec, comme inscription : « A notre petite Sharon. » J'ai hâte que ce soit l'enterrement. D'abord parce que j'aurai mon beau costume, ensuite parce qu'on défile pour jeter de la terre sur le cercueil et qu'on chante des cantiques. J'adore ça. Les parents de Sharon n'étaient pas d'accord, sa mère voulait une cérémonie juive, le frère de Maman un enterrement catholique, finalement sa mère a dû céder... tu vois, même morte, cette fille ne cause que des ennuis.

Je ne sais pas pourquoi je continue à te parler, Jeanie. Par pure bonté d'âme, sans doute. Je n'aime pas beaucoup que tu emportes les notes de mon journal. Je te conseille de ne plus refaire ça.

PS : J'ai fixé la date de ta mort.

Journal de Jeanie (magnétophone)

J'ai envie de dégueuler. Hum, hum, si j'ai décidé de parler dans ce magnétophone, c'est que, hum, hum, c'est plus pratique, parce que je n'arrive pas à tenir le stylo. Et puis, les bandes magnétiques, ça s'efface, et puis aussi je veux lui rendre la monnaie de sa pièce et donc il faut que j'apprenne à me servir de cet engin.

Voici mon idée : je vais cacher le magnéto dans la chambre de la Vieille et enregistrer ce qui s'y passera. Peut-être qu'il parlera, ou je sais pas, moi, il rigolera, ou toussera, quelque chose qui le trahira...

...

Je reviens, je m'excuse, mais j'étais allée boire une petite lampée de réchauffant.

C'est marrant de parler à un appareil, on se sent tout bête. Hou hou, Mister Magnétophone, vous m'entendez ? Ça me fait rigoler... Allez, hop, au lit. Bonne nuit, saloperie mécanique.

...

C'est marrant de penser que je suis vivante et que je vais être morte. Me suis farci le crâne de tous ces bouquins pour rien du tout. Me suis acheté un flingue pour rien du tout. Même pas possible de boire tout son saoul. Saoule, saoule, j'en ai marre d'être sur mes gardes, garde à vous, petits soldats de la reine, la reine s'en fout, bien au chaud dans son Buckingham Palace elle mange des ortolans. Vieille picoleuse, va ! Fixer la date de ma mort, non mais, se croit tout permis, ce morpion ! M'en vais lui secouer les puces... tête qui tourne... Dormir.

Journal de l'assassin

Je suis dans la chambre de Maman. Maman est en bas, elle discute avec la police. Jeanie est en bas, elle aussi. Ils en ont pour un moment. La police est là pour Karen. Ils passent de temps en temps, voir s'il y a du nouveau. Ils flairent de-ci de-là comme de vieux clébards, ça les tourmente, tous ces jolis meurtres dans le coin. Mais peuvent pas accuser tout le village, hein, allez, flairez, les clébards, déterrez les vieux os... Tout le monde est occupé : Mark prépare un dossier, Jack nettoie son saxophone, Stark bricole un jeu électronique, Clark fait des haltères. Et Papa étudie un nouvel article.

Surtout, guetter la voix de Jeanie. Tu vois, Jeanie, je m'occupe de toi. Est-ce que tu me lis encore ? Comment savoir ? Tu es si discrète...

Tu sais ce que j'aimerais ? J'aimerais ouvrir la porte de ta chambre et te dire : «Bonjour, Jeanie, c'est moi. Bonjour, Jeanie, c'est Moi ! » Ça sonnerait bien. Calme. Maîtrisé. Pas un de ces cinglés baveux qu'on voit dans les films. Tu balbutierais : « Je ne comprends pas... » Et puis tu mourrais, ta bouche appuyée à mon... tu mourrais en gémissant comme une chienne en chaleur, ma main serrée sur ta nuque, ça te plairait, hein, ça te plairait, garce, tu me dégoûtes ! Il faut que j'aille me nettoyer, changer de pantalon. J'ai trop chaud. Est-ce que je suis malade ?

Non, je ne suis pas malade, je le sais, je me sens bien, je me sens bien dans ma tête. Je n'ai pas de fièvre. Pourquoi tu ne m'as pas tué, Sharon, pourquoi ? Tu tenais ma tête dans tes mains et tu la cognais sur le sol, la chaudière ronflait... pourquoi tu ne m'as pas tué ? Et toi, Zack, pourquoi est-ce que tu regardais ! Je n'aime plus écrire dans ce journal, je n'aime plus rien, je suis fâché, je suis très fâché, je vous déteste !

Journal de Jeanie

Compte rendu de ce mardi :

2 heures : la police est revenue. Je sens qu'ils se doutent de quelque chose. Ils ont demandé si les garçons s'étaient déplacés, ces derniers temps. « Non », a dit la Vieille, la bouche en cœur. Moi, spontanée : « Mais si, Madame, ils sont allés à Demburry. » Elle m'a reprise, irritée : « Mais non, Jeanie, pas à Demburry, ils sont allés chez leur tante à Scottfield. » Je n'ai rien ajouté. On est obligé de passer par Demburry pour aller à Scottfield. Le flic a tout noté sur son carnet. Toutes ces notes, tous les jours dans le monde, ça me fout le vertige. Petits gâteaux, thé, et adios la flicaille.

5 heures : je monte récupérer le magnétophone, pendant qu'ils sont allés chercher le sapin de Noël. On peut dire que la mort de Sharon ne leur coupe pas l'appétit. En même temps, j'ai lu les feuilles, très vite, et je les ai replacées dans le désordre, exprès. C'est un début.

11 heures, ce soir : je vais écouter la bande et noter mes impressions. Je règle le son tout doucement. Il faudrait que je m'achète un de ces casques qu'on voit à la télé. Assez rêvé, au boulot.

Compte rendu d'enregistrement :

On entend la porte s'ouvrir. Puis quelqu'un qui marche sur la moquette. Qui ouvre la porte du placard, elle grince un petit peu, des bruits très légers, sans doute qu'il touche le manteau...

Ah, voilà... des bruits de papier, il défroisse ses feuilles, bruit de plume, il écrit sûrement au stylo encre... Il s'arrête, il s'arrête souvent, il doit réfléchir entre les phrases. Il respire de plus en plus fort. Avec les cochonneries qu'il se raconte... Oh, il parle !

Je suis revenue en arrière et je réécoute : sa voix est très rauque, un murmure : « Bonjour, Jeanie, c'est moi. » Il le répète deux fois, lentement, et il commence à respirer très fort, avec un grand bruit d'étoffe, qu'est-ce qu'il fabrique ? Ah, que je suis bête, bien sûr, oh là là, il y va fort ! « Garce ! » Il le dit distinctement, pas avec une voix d'enfant, non, une voix de cauchemar qui marmonne : « Garce. »

La voix de l'autre fois, chuintante, torturée, comme un linge tordu qu'on lâche brusquement. Maintenant il se calme, il fait craquer ses doigts, il prend une grande respiration, il replie ses papiers, il les range. Bruits de pas rapides, la porte qui se referme. Fin de notre palpitante émission, « Meurtres en direct ».

Ce que je sais maintenant, c'est qu'il a vraiment une voix de fou, pas seulement une voix de fou prise pour me faire peur. Il doit donc être dans un état second la plupart du temps. Un monstre caché sous un jeune homme, avec sa voix horrible, ses désirs horribles, ses projets horribles, un monstre qui a presque fini de bouffer le brave gars d'origine.

Demain à 8 heures, on part pour le cimetière. Le père de Sharon sera là. (Sa mère est toujours à l'hôpital, elle a une fracture du bassin, elle ne peut pas se déplacer.)

J'ai pris une décision : je vais lui répondre. Il faut que je rentre dans son jeu pour arriver à le dominer. Mon père me disait ça pour le judo : « Faut se servir de la force de l'adversaire. Faire semblant de l'épauler pour le déséquilibrer. » Mais, du judo, il en avait jamais fait.

Journal de l'assassin

Délicieuse balade au cimetière. Neige blanche qui garde la trace du cortège. Beaucoup de fleurs, beaucoup de monde, un si triste accident, les pauvres gens, quelle série noire ! Nous, impeccables, beaux, si corrects, on aurait dit quatre jeunes mariés. Mariés avec la mort. Tous les quatre si forts mais si pâles, bien droits pendant toute la cérémonie…

Maman était épuisée, nous l'avons soutenue. Papa chantait à pleins poumons.

Il y avait aussi les parents de Karen. Enterrer leur fille ne leur a pas suffi, il faut encore qu'ils viennent enterrer celle des autres ! Et le papa de Sharon dans un fauteuil roulant, avec une infirmière qui a dû lui faire une piqûre. Et les deux policiers qui s'occupent de l'affaire Karen. Ça ne m'a pas plu, ces deux policiers.

A part ça, tout s'est bien passé. Je sentais les flocons de neige dans mes cheveux. J'aime bien ça. Ils ont amené la boîte avec précaution, du bois clair comme pour Karen, du beau bois blanc pour les vierges...

Nous avons baissé la tête avec compassion et tristesse et le prêtre a récité son bla-bla habituel. Jeanie avait la tête baissée, elle aussi, elle pleurait, bien sûr, histoire de montrer son gros nez rouge. Tu passes ta vie à pleurer, Jeanie chérie, veux-tu que je te serre bien fort dans mes bras pour te consoler ?

Le ciel était tout noir. Il y avait des éclairs. Je n'aime pas trop les éclairs. On aurait dit le soir et c'était le matin. On aurait dit les nuées dont ils parlent dans la Bible, j'avais envie que ce soit fini. J'ai ramassé de la neige comme les autres et je l'ai jetée dans le trou, ça a fait *plof*, vraiment *plof*, et c'est tout. Sharon est là-dessous, elle n'en sortira jamais, elle n'aura jamais dix-huit ans, ni vingt, elle sera toujours comme elle était, avec son rire scintillant et ses cheveux noirs, coincée dans la boîte, toute droite, est-ce qu'ils l'ont enterrée avec son anorak rouge ?

Ensuite on est partis. On est passés devant la tombe de ce pauvre petit Zack et j'ai vu Maman qui y jetait un petit regard triste. Il y avait des fleurs fraîches sur la tombe. J'ai eu envie de les piétiner. « Fait pas chaud », a dit Papa. « Triste journée », a dit Maman. « Pauvre gosse », a dit Mark. « On n'aurait jamais cru ça », a dit Clark. « Vous avez vu son père, le pauvre ? », a dit Jack. « Elle était si gentille », a dit Stark.

Journal de Jeanie

Quand je suis montée ce soir, pendant qu'ils prenaient l'apéritif, le message était déjà là. J'ai écrit en travers : *Tu l'aimais bien, hein, Sharon ?* et puis je me suis sauvée. On verra bien.

Je déteste ce pays pourri et ce froid et ce silence. Ce silence, surtout, qui empêche d'entendre les cris. On a l'impression que ça ne sert à rien de se débattre, que, quoi qu'on fasse, on est condamné. C'est marrant, à force de remplir ce cahier, je fais de meilleures phrases. Enfin, j'en ai l'impression. Comme quoi, on aime bien parler de soi.

A l'enterrement, j'ai pleuré. Je sentais mes larmes gelées sur mes joues. Les quatre garçons étaient silencieux. Hostiles. Je ne sais pas pourquoi, j'ai pensé ça : hostiles. En repartant, nous sommes passés devant une tombe d'enfant, et j'ai vu l'épitaphe, gravée dans le marbre : « A Zacharias March, ravi à l'affection des siens dans sa dixième année, qu'il repose en paix. » La Vieille s'est crispée en passant devant, elle a porté la main à son cœur. Les garçons sont passés sans même tourner la tête. Est-ce qu'ils le détestaient tous les quatre ?

J'ai hâte de savoir ce qu'il va faire en voyant que j'ai écrit dans son sacro-saint journal adoré. Et ce n'est pas fini, mon bonhomme !

Je repense à ces navets. Mystère et boule de gomme, comme disait Papa. Ce soir, j'ai décidé d'aller faire un tour dans la maison. Histoire d'explorer un peu. J'attends qu'ils dorment.

Je suis allée voir dans la panière de linge sale et j'ai trouvé un jean taché. Mais, hier, ils portaient tous un jean, le même, bien sûr, cette marque avec des surpiqûres comme aiment les jeunes. En fait, des jeans, ils en ont des tas. Même le docteur en a. Même la Vieille. On dirait une publicité.

Dans cette maison, tout fait publicité. On dirait toujours qu'ils attendent la visite de reporters et que tout doit être propre.

Plus aucun bruit. Je vais sortir. Je prends le flingue et le magnéto au cas où...

Je vais regarder les skis de plus près, il y aura peut-être des indices.

Journal de l'assassin

Je suis dans ma chambre. J'entends du bruit dehors. Quelqu'un qui marche dans le couloir. Je devine bien qui peut être ce quelqu'un... Une imprudente, très certainement. Mais, rassure-toi, ce n'est pas pour ce soir. Espionne bien, ma fille, profite ! T'as vu la tombe de ton prédécesseur en espionnage, comme ça lui a réussi !

Elle va sûrement voir au garage.

Je n'aimais pas Sharon. Je n'aime personne. Je n'ai jamais aimé personne. Je ne suis pas un faible, tu entends ? Ce n'est pas la peine de barbouiller mon journal de messages dégoûtants. Je t'interdis de le faire, vieille imbécile, grosse vache, tu ne comprends rien à rien !

J'ai soif. Tu espères que je vais te suivre, hein, et que tu pourras me coincer, tu me prends pour un débutant ? Je reste là, bien au chaud, pendant que tu perds ton temps à rôder dans la maison.

Est-ce que tu n'as jamais pensé que je pourrais être le Diable ?

Journal de Jeanie

Ouf, quelle expédition ! J'ai regardé les skis, ils sont tous éraflés et entaillés, rien à tirer de ça. Pas de peinture rouge qui aurait adhéré à l'un d'eux. Dommage, on n'est pas dans un roman policier.

En revenant, je suis passée par la bibliothèque, histoire de boire un coup de brandy du docteur. C'est une pièce que je n'aime pas. Sombre. Renfermée. Avec une odeur de tabac. C'est là que Monsieur travaille.

Je me suis assise à son bureau. Un beau bureau en chêne noir.

Croyez-le ou non, même topo que pour le manteau. Je dois être prédestinée ! (Ça, c'est un mot chic que j'ai appris en taule. Michèle disait toujours : « Si j'ai tué mes gosses, c'est que j'étais prédestinée. » Pauvre Michèle, elle en a encore pour dix ans.)

Je passe ma main sur le bureau, dessus, dessous,

j'aime bien le bois. J'ouvre le sous-main, je caresse le buvard rose, où reste l'empreinte de quelques lignes tracées récemment (je me demande si des gens liront ça et trouveront que je raconte bien), je regarde de plus près, j'aime bien lire les empreintes sur les buvards, c'est comme des messages secrets.

Pas été déçue, je peux dire. Juste quelques mots : « comme ce sera la tienne ». La fin d'une lettre. La fin de sa lettre. Il l'a soigneusement séchée avant de la monter là-haut. Cet après-midi pendant qu'on tournait en rond, il est venu ici et il a écrit, tranquillement.

Et, bien sûr, je ne peux pas me rappeler si j'en ai vu un venir ici.

Ce n'est pas tout. Quand j'ai vu ça, j'ai commencé à fouiller tout le bureau. A un moment donné, j'ai entendu un bruit dans l'escalier et j'ai eu peur, j'ai sorti le revolver, puis plus rien.

Je guettais un souffle, une respiration, parce que les marches, ça peut craquer, mais pas respirer. Mais rien. J'ai recommencé à fouiller. J'ai enfoncé la main sous le bureau, jusqu'au coude (j'ai vu ça dans un film sur les agents secrets, ça marche !), j'ai senti quelque chose de dur et de plat. J'ai tiré. C'était une petite brochure. Noire avec le bord des feuilles rouge. Comme un missel. Joli. Elle avait été scotchée sous le bois.

Je l'ai ouverte. Ce n'était pas une brochure. C'était monstrueux.

C'était une suite de croquis. Il y avait le visage d'une petite fille, puis celui d'un petit garçon avec quelque chose de familier, puis ceux d'autres gamines, puis celui de Karen, et celui de Sharon et le mien.

Avec un sourire fixe. Parfaitement dessinés. Simplement, tous les visages avaient les yeux crevés, crevés vraiment, et, dans les orbites de chacun, on voyait le regard de celui d'en dessous.

Je suis la dernière. Sous mes yeux vides, on a glissé un buvard rouge. J'ai les yeux rouges et je souris. Et, en travers de chacun des visages (une dizaine), il y a l'empreinte d'une main, une empreinte rouge elle aussi, rouge vif, comme une caresse sur la joue, mais en regardant de plus près on voit que ce n'est pas une main, c'est quelque chose de maigre et de griffu, c'est l'empreinte de la mort.

C'est l'empreinte de la mort, posée sur mon visage, personne ne peut avoir une main comme celle-là, une main avec trois longs doigts décharnés, qui essaye de toucher ma bouche.

Brusquement, j'ai su pourquoi le visage du petit garçon m'était familier : c'était le leur ! J'ai songé en même temps qu'il n'y avait nulle part de photos d'eux enfants. Sur toutes les photos exposées, ils ont au moins douze ans.

Qu'est-ce qui se passe ici ? J'ai remis le livre en place avec du ruban adhésif, j'espère que ça tiendra, je tremble encore, le revolver cogne contre ma hanche, quelqu'un ici joue avec les morts et les choses de la mort, quelqu'un qui dans sa démence perd tout visage humain.

8

Revers

Journal de Jeanie

Je suis montée là-haut dès qu'ils sont partis et j'ai lu. «... le Diable ?» C'est comme s'il savait ce que j'allais trouver dans le bureau. Je n'ai jamais cru à ces sornettes, je ne vais pas y croire maintenant. C'est de la poudre aux yeux, voilà ce que c'est, de la poudre aux yeux, et le brandy m'a fait voir des monstres là où il n'y avait que la preuve d'un esprit dérangé.

Il m'a tout simplement entendue me balader dans la maison et il a pensé que je pouvais trouver son «missel», alors il a écrit ça sur le Diable, pour m'impressionner. Il agit comme les illusionnistes. Toujours à faire autre chose que ce qu'il montre. Distraire mon attention. Distraire mon attention de son visage exposé à ma vue, par des trucs, des vulgaires trucs de cabaret! Mais le matin j'ai l'esprit clair, monsieur, pas de vapeurs d'alcool, je sais encore raisonner!

Sur son journal j'ai écrit : *Pourquoi tu avais peur de Sharon ? Pourquoi est-ce que tu as peur des femmes ?* Et j'ai entouré ça d'un gros trait au stylo. Qu'il me haïsse. On verra s'il pourra continuer à me sourire à table. Je vais le pousser à se trahir. Le harceler.

Mais si c'était vrai ! Si quelqu'un ici faisait vraiment de la magie noire ? Peut-être qu'il se prend vraiment pour le Diable ? Il faut que j'aille au village, il faut que je cherche quelque chose là-dessus. S'il croit qu'il est possédé, il croira peut-être à un exorcisme. Ce que je veux dire, c'est que, si je lui fais croire que je l'exorcise, il redeviendra peut-être lui-même, parce que, bien sûr, il n'est pas le Diable, c'est impossible.

Je vais demander au docteur de me descendre au village pour les cadeaux de Noël.

Journal de l'assassin

Elle est au village. Tu es au village. Tu fouilles. Tu cherches. Tu renifles. Rien. Tu ne trouveras rien. Je suis hors d'atteinte. Je sais que tu as regardé le Livre. Tu as osé le regarder. Comme tu as profané mon petit journal chéri… Impie ! Blasphématrice ! Tu accumules les sacrilèges ! Je suis le Maître ici, tu ne l'as pas encore compris ? le Maître ! Sharon non plus ne l'avait pas compris. Pauvre Sharon… Je suis le Maître et vous êtes mes jouets. Et tu oses me regarder en face quand tous se prosternent devant moi ? Le monde tremble sur ses fondations.

J'ai dû déchirer les feuilles que tu avais souillées, elles étaient devenues laides, elles puaient, elles puaient, tu entends ? elles puaient la peur, l'odeur des autres quand elles comprennent, leur affreuse odeur quand elles comprennent, l'affreuse odeur que tu portes en toi et qui n'attend qu'une brèche pour se libérer, passer la chair, se répandre, l'affreuse odeur qu'on enferme dans les boîtes, au fond des trous, pour qu'on puisse continuer à respirer, nous, les vivants. J'ai mal, j'ai mal, je ne veux pas que tu existes, je ne veux pas jouer avec toi, je ne veux pas jouer avec toi !

Rien ne m'empêchera de recommencer. Encore et encore. Tant que je voudrai. Je te dirai quand. Je te dirai où. Et tu ne pourras rien faire. Parce que je suis le Maître.

Jeanie

Au lieu de parler de toi, tu ne pourrais pas continuer à raconter la vie de votre famille ? C'est plus intéressant. L'enterrement de ton frère, par exemple, ça a dû être un grand moment...

Journal de l'assassin

Encore ces saletés sur mes feuilles... Qu'est-ce qui te prend, tu deviens folle ? Qu'est-ce que tu essayes de faire ? Tu veux m'énerver, me mettre en colère, me pousser à me dévoiler parce que je serai en colère... tu me crois stupide ? Tu crois peut-être, chère Jeanie au

cœur pur, que je vais débarquer à table en criant :
« Mais enfin, Jeanie, pourquoi continuez-vous à souiller
mon journal intime ? »

Tu rêves, Jeanie… Tu crois que parce que je m'em-
porte, à juste titre, je ne sais pas me dominer ? Tu crois
que tu vas m'énerver en me rebattant les oreilles avec
cette demi-portion de Zack ? Tu as des jugements hâ-
tifs. Regarde comme je suis calme. Comme je te
devine… Depuis le début, je te devine. Je t'ai même
permis de trouver le Livre. Je savais que tu serais
contente de le trouver. Et puis, ça t'occupe.

Essaye donc un peu de voir derrière les choses,
quelquefois… Oh ! et puis j'abandonne, tu n'es qu'une
pauvre créature après tout, et je ne peux rien pour toi !

Journal de Jeanie

Comme quoi le dialogue l'intéresse plus que ses
salades habituelles. Tu penses ! dix-huit ans sans pouvoir parler à personne du merveilleux dingue qu'il y a
en lui ! S'il ne m'avait pas, il devrait m'inventer ! c'est
d'ailleurs ce qu'il a fait avec sa saleté de journal, inventer quelque chose ou quelqu'un à qui parler…

Au village, hier, j'ai acheté un bouquin sur la sorcellerie et un autre sur les exorcismes. C'est marrant
que dans une petite ville comme ici il y ait une clientèle
pour ça… « J'ai des clients réguliers », m'a dit le type
d'un air mystérieux.

J'ai potassé tout ça : formules incantatoires, possessions, patati patata, je me sens pousser des pattes de bouc !

En tout cas, j'ai trouvé un bel exorcisme, tout à fait adapté, pour démons récalcitrants et particulièrement infernaux. Il faut que je trouve une mise en scène qui aille avec. Pas de précipitation.

Je ne lui ai pas laissé de message. J'ai juste coupé ses feuilles en petits morceaux. J'ai pas pu m'en empêcher, j'ai trop envie de lui casser la gueule. Mais, maintenant, j'ai un peu peur. Je vais essayer de dormir le moins possible.

Journal de l'assassin

Je te hais.

Tu as saccagé mon œuvre, ma parole, ma voix, tu l'as saccagée et mutilée, avec tes ciseaux coupants, clac, clac, tu as voulu me tuer, je le sais, je sais le plaisir des ciseaux, clac, clac, qui claquent sur la chair, sur ma chair de papier, tu es comme ces folles de la télé, une maniaque, voilà ce que tu es, une maniaque, une laide et vieille maniaque, je te hais.

Il faut que je. Non, ça tu ne le liras pas. Mais il le faut quand même. Le temps passe pendant que tu engraisses à nos dépens.

Hier, Maman a parlé de Sharon. Elle a un peu pleurniché, comme d'habitude. Je l'ai consolée. Nous étions seuls et j'ai dit : « Ne pleure pas, ils l'attraperont, va... » Elle m'a regardé d'un drôle d'air... Et j'ai compris qu'elle avait horreur de moi… Je ne veux pas devoir… non, pas Maman, bien sûr, je ne le ferai pas. Mais c'était ma première erreur. Elle aurait pu être grave, très grave.

Journal de Jeanie

L'imbécile! Ainsi, il peut donc se trahir. Il doit commencer à s'énerver plus qu'il ne le dit! Pourquoi est-ce que je ne traînais pas par là, pourquoi?!

Pour l'exorcisme, je me servirai du magnéto.

Depuis la mort de Sharon, ma peur s'est envolée. Il y a des gens dont on se sent plus proches que d'autres, Sharon était de ceux-là. Assez là-dessus.

Sa mère sait et se tait. Sa mère. Leur mère. C'est elle, la faille. Le point faible. C'est par là que je dois commencer.

Non, ça, c'est ce qu'il veut. Pour me donner un motif de la tuer. Parce que c'est ça qu'il veut depuis le début : la tuer. Avec un coupable tout trouvé : son père! Je délire. Quand on lit ces bouquins de psycho, on passe son temps à échafauder des hypothèses délirantes. Bouffées délirantes.

Je suis dans une impasse.

J'y ai toujours été.

Journal de l'assassin

Tu ne t'es pas permis de recommencer, hein ? C'est bien. Je vais donc pouvoir revenir à des choses importantes.

Jack a eu un A à son contrôle musical. L'équipe de Clark a gagné le match. Mark a un excellent rapport de stage. Stark est le meilleur de sa classe. Super, non ?

Nous sommes très bien, je trouve. Il serait difficile de nous prendre en défaut. Peut-être que nous sommes la perfection. Combien d'années de rodage pour une telle perfection ?

Papa a dit que pour fêter tout ça on boirait du champagne. Papa est fier de ses garçons.

Sharon n'était qu'une courge. Et toi, Jeanie, sang de navet, tu n'as rien à faire chez le docteur March, tu es trop fouineuse et méchante.

Journal de Jeanie

J'ai coincé la Vieille dans la cuisine. On parlait du temps, de la vie, j'ai enchaîné sur les gosses. Et comme ils étaient tristes pour Sharon, quel triste accident… (J'épluchais les oignons, du coup on avait vraiment les têtes de l'emploi.) « Et si on faisait un pudding pour ce soir, Madame ? – Pourquoi pas ? – A propos des garçons, je voulais vous dire, il y en a un qui a mouillé son lit, c'est drôle comme ça peut durer longtemps ces choses-là. – Ils ont été propres très tôt. C'est sûrement un accident, un rêve... ça arrive à tout le monde, passez-moi la farine. – Il n'y a pas beaucoup de jeunes filles à fréquenter ici, c'est assez isolé... – Oh, ils n'y tiennent pas spécialement, ils sont heureux en famille, ils sont trop jeunes pour courir les filles, ça viendra quand ça viendra, chaque chose en son temps... » (Trop jeunes pour courir les filles, ces gros taureaux !)

« Le pudding, je le fais au chocolat ou aux raisins, Madame ? – Au chocolat et aux raisins. – Hier, j'ai vu Jack qui essayait de vous consoler pour Sharon, je l'ai trouvé vraiment très gentil. – Jack ? Vous vous trompez, je pense. – Ah, j'ai dû confondre, ils se ressemblent tellement, et en passant vite, dans le couloir... – Non, je ne vois pas... – Vous aviez l'air si triste... – Non, vraiment, Jeanie, vous avez dû rêver, ma fille ! Oh, regardez, vite, ça brûle ! » (Mensonge.) Fin de la conversation. Échec sur toute la ligne.

Je vais retourner dans le bureau du docteur. Cet après-midi j'irai y faire la poussière, ça en a bien besoin.

Je descends, on sonne.

Journal de l'assassin

On vient de sonner. J'entends Jeanie qui descend. A cette heure-ci, je me demande qui ça peut être. Une voix de femme... c'est la mère de Karen, je reconnais sa voix criarde. Qu'est-ce qu'elle veut, celle-là ? Elle repart... Jeanie remonte. Son pas pesant de vache. Voilà, elle est dans sa chambre.

C'est l'heure de la sieste. On fait encore la sieste, chez nous. On médite, on se détend. Je médite. Je me détends.

Maman avait l'air bizarre à midi. Je me demande ce que tu lui as fait, Jeanie. Est-ce que tu as essayé de lui tirer les vers du nez ? Pourquoi tu ferais ça, Jeanie ? Tu voudrais que Maman tombe malade ?

Tu as déjà fait avoir à Sharon ce stupide accident avec ta manie de fourrer ton nez partout. C'est ta faute si Sharon est morte, tu entends ? Alors, sois moins brutale dans tes agissements, Jeanie, sois plus cool, ma fille, si tu ne veux pas que ta route soit jonchée de cadavres... Laisse-moi le plaisir de tuer, ne sois donc pas jalouse, ce n'est pas le boulot d'une fille, tu sais ?

Assez blagué, c'est l'heure. Il faut que je prépare mes affaires.

Au fait, Jeanie, à propos de la mère de Karen, tu ne crois pas qu'elle devrait se suicider ? De chagrin ?

Journal de Jeanie

Sale porc ! Tu crois que tu vas m'avoir avec ça, en essayant de me culpabiliser ? Tu me prends pour un enfant de chœur ? (Ce gin brûle, c'est atroce, encore que... à la deuxième gorgée, ça va nettement mieux.)

OK, ta mère, je laisse tomber. Je vais pas te donner l'occasion et le prétexte de... préfère céder... Mais touche pas à la mère de Karen, sinon... Sinon, rien, comme d'habitude. Je me sens totalement impuissante.

J'ai une idée géniale. Procéder par élimination. Éliminer. Je vais en blesser un au bras, au bras droit, et puis un autre, plaf, jusqu'à ce que les messages s'arrêtent ou que son écriture se modifie.

Simple comme bonjour et sans danger, du style maladroite : « Oh, zut ! c'est dans votre bras que j'ai planté la fourchette ? Faites excuse, croyais que c'était le poulet… » Oh ! escalier trop ciré, pas de bol, jambe cassée ! Voiture freins sabotés ? Ah, quel dommage ! Non, pas bolcheviks, non, hasard seulement. Tous kaputt ? Ah, grand malheur pour docteur, docteur aussi, kaputt ? Ah, grand malheur pour pays ! Famille si populaire, décorée de l'ordre posthume de la Grande Sournoiserie. Le président vient à l'enterrement. Et Jeanie ? Elle est belle, Jeanie, en noir, stricte, cheveux tirés, elle serre les mains du président, pauvres, pauvres petits, si gentils, si propres, si bien de chez nous. Mère effondrée, non : mère suicidée, tête dans le four avec la dinde de Noël qui mijote, horrible…

Entends quelqu'un derrière porte. Pose mon verre, veut pas tenir droit, ce verre… Peux pas voir l'heure, montre à trois aiguilles. Montre sabotée ? Voudrais bien me lever pour aller voir. Mais pas possible bouger chaise. Tout tangue. Étrange. Peut-être, peut-être la fatigue ?

Tout ce remue-ménage dans ma cervelle… pense trop, plus bonne à rien, la bonne à tout faire est plus bonne à rien…

Ça respire et ça chuchote, et puis ça tourne la poignée, oui oui je la vois tourner, ah ah ah c'est fermé à clef. Oh, c'est curieux, je peux plus me relire, c'est tout écrit en chinois, je savais pas que je savais le chinois…

Ça suffit, ce boucan, à la fin, elle a failli tomber, cette chaise, où il est mon revolver ? ah, je le vois, il est sur le lit, il est très joli… d'ailleurs, il faut que je finisse de le nettoyer et que j'y remette les balles, sinon je serai en danger, parfaitement.

On dirait que quelque chose se frotte contre la porte, comme un gros chat, ça m'énerve, je vais ouvrir. Ma porte n'est pas un paillasson.

Amis lecteurs et auditeurs, voici l'instant de vérité, ouais, minute papillon, non mais il prend ma porte pour un plumard ou quoi ? Je m'en vais te lui frotter les oreilles…

Journal de l'assassin

Ça m'a pris d'un coup. Impossible de résister. Il fallait que j'y aille. C'était si fort… ça me tirait de partout. Je me suis levé.

J'ai avancé dans le couloir sur la pointe des pieds, je pensais plus qu'à ça, je balançais le rasoir au bout de mon bras, il était lourd, comme gonflé de sang, comme une extrémité de moi gonflée de sang, un autre membre qui m'aurait prolongé.

Il y avait de la lumière sous sa porte. Pourtant il était tard. Elle ne dormait pas, elle m'attendait, je l'ai su tout de suite que tu m'attendais. C'est ça qui m'avait réveillé, pas le cauchemar, non, mais ton attente, ton appel dans la nuit, pour que je vienne te faire ce qui doit être fait.

J'étais là, je tremblais, je tremble toujours quand j'attends comme ça, j'étais tout raide contre ta porte, je t'écoutais, de l'autre côté, tout seul dans le couloir noir, avec le rasoir appuyé sur ma cuisse, c'était le moment, Jeanie, c'était le moment pour toi...

Je t'ai appelée, j'ai chuchoté en appuyant mes lèvres contre le bois, je les frottais contre le bois : « Réponds-moi, réponds-moi, je t'en prie... »

J'étais collé à la porte, tout contre, je me frottais contre la porte, comme un chat qui attend des caresses, avec mon ventre de pyjama rayé, le rasoir appuyé au bois, qui s'y enfonçait doucement... Je veux que tu sortes, que tu sortes, que tu t'enfonces sur le rasoir, ouvre cette porte, ouvre-la ! Tu mourras si vite, sans comprendre, juste mon doux sourire et cette terrible chaleur dans ton ventre...

J'ai entendu que tu te levais, et puis, d'un coup, ce bruit, ce bruit énorme que tu as fait, pourquoi as-tu fait tout ce bruit ? tu n'avais pas le droit, on aurait dit que tout dégringolait dans ta chambre ! J'ai entendu la voix de Papa : « Qu'est-ce qui se passe, ici ? »

Papa est allé frapper chez toi : « Ça ne va pas, Jeanie ? » J'ai entendu ta voix rauque qui répondait : « Ça va, Monsieur, je suis tombée de mon lit, c'est tout... » Et puis un rire, un rire de folle... Papa nous a dit : « Allez vous coucher. » On est allés se coucher. Je me suis mis à plat ventre et finalement je me suis endormi...

    ...

Maintenant je viens de me réveiller en sursaut. Encore. Je rêvais que Jeanie venait me surprendre par-derrière, elle m'étranglait avec une écharpe, je me sentais mourir et elle riait sans arrêt.

C'est un rêve stupide. L'écharpe se tordait, devenait un serpent qui me rentrait dans la bouche, glissant et gluant, je me suis réveillé.

Je suis calme, maintenant. Quelle bêtise j'ai failli faire ! Il faut que je me surveille sérieusement.

Journal de Jeanie

Bon Dieu de gueule de bois ! La bouteille est vide. Faudra que je la jette en douce. Après le tintouin d'hier soir, j'ai intérêt à me faire toute petite. Ils me regardent tous d'un sale œil... J'ai un gros bleu sur la joue et un autre sur la cuisse.

J'ai relu ce que j'avais écrit, parce que je ne me souvenais de rien. Comme quoi ça sert, d'écrire... Bon sang, ce que j'ai pu être stupide, j'aurais pu mourir. Quand j'y pense, ça me fait deux fois plus mal au crâne, je vais prendre une aspirine.

J'ai dû dégringoler en voulant me lever, parce que la chaise était par terre et le cahier ouvert. Je me suis réveillée sur le plancher, gelée. Oh, Christ, l'alcool est vraiment un péché, t'avais raison, M'man !

Ils viennent de partir. Je vais aller à la bibliothèque. Hier, je n'ai pas pu, elle m'a collé au train toute la journée.

...

Vous vous en doutiez, vous avez gagné : le Livre

n'y est plus. Envolé ! J'ai fouillé partout : rien. On veut me faire croire que j'ai rêvé. Ou bien on y a rajouté un visage que je ne dois pas voir…?

Ah, j'oubliais, le sapin est là. Un monstre gigantesque hérissé de piquants. Ce soir, on le décore, boules et guirlandes. Bientôt Noël. Quand je pense à ce salaud de Bobby qui va passer Noël au soleil d'Acapulco alors que je servirai peut-être de bûche dans la cheminée… Si ce minable s'était pas tiré avec le fric et les bijoux, je serais pas là, je serais en bikini, les doigts de pied en éventail sur la plage !

Je ne suis jamais allée fouiller la chambre du docteur… Ça vaudrait peut-être le coup.

J'y vais.

Journal de l'assassin

Le sapin est là ! Il est magnifique ! Nous lui avons mis des boules et des guirlandes dorées et il brille de tous ses feux. Quel plaisir de décorer ce beau sapin ! Maman chantonnait, Papa était tout en haut de l'échelle, pour placer l'étoile de cristal, vraiment un beau Noël qui se prépare, surtout pour moi.

Il faut d'ailleurs que nous répétions les cantiques, pour chanter le soir, car Maman a invité pas mal de gens pour nous écouter, et Clarisse viendra jouer du piano. Elle nous accompagne toujours quand on chante. C'est une bonne accompagnatrice.

Nous avons une belle voix grave, bien posée, très

émouvante, paraît-il. C'est parce que Maman aime que nous soyons bien rangés, debout tous les quatre, en chemise blanche, pour célébrer le nom du Seigneur, que c'est Clarisse qui nous accompagne et non pas Jack. Ça fait plus chorale, le « chœur des Anges », t'as de la chance, tu l'entendras bientôt en direct...

Tu verras, Jeanie, ce que c'est qu'une soirée de Noël chez nous !

Journal de Jeanie

Je suis perplexe. (C'est marrant, je n'aurais jamais cru employer ce mot un jour... A vrai dire, il y a beaucoup de choses que je n'aurais jamais cru pouvoir faire...)

J'ai trouvé le Livre. Caché sous les caleçons du docteur. Et, donc, je suis perplexe. Qui l'a caché là ? Le docteur, pour protéger son fils ? Ou bien le docteur serait-il...? Non, je délire.

Cependant, il faut bien qu'il y ait une explication. J'ai toujours pensé que la Vieille était au courant. Et pourquoi pas le docteur ?

J'ai l'impression qu'on joue avec moi au chat et à la souris.

Hier soir, on a décoré l'arbre. En remontant, j'étais crevée. Ce matin, je suis allée lire son charabia habituel. Il prépare Noël dans la joie, l'ordure ! Je dois me renseigner sur cette Clarisse. Combien de femmes y a-t-il à abattre dans ce fichu patelin ?

Je vais lui mettre un mot :

Tu devrais avoir peur d'invoquer le nom du Seigneur, toi qui es rouge de sang, car le doigt de Dieu frappera le criminel et le réduira en cendres...

Ça me plaît. Ça me rappelle les sermons à la prison, ce qu'on se marrait ! J'y vais, la Vieille m'appelle. Corvée de repassage et raccommodage.

Journal de l'assassin

Le Seigneur sent mauvais, le Seigneur est sale, Il sent le vieux, Il sent les couches mouillées. Tu n'es qu'une esclave, Jeanie, tu trembles devant les commandements de ce vieillard sénile, mais, moi, je suis libre, je suis comme un héros du cosmos qui traverse les univers en se moquant des dieux, je suis le Maître du Livre, le Scribe de la Mort, la face cachée du Dieu qui te sourit de toutes ses dents si blanches et si saines... Mes dents à moi sont toutes pourries par en dessous, tout ce que je mange noircit et pourrit, mes dents sont pleines de vers, tout ce que je lèche prend le goût du soufre et se met à puer.

Est-ce que tu crois que Clarisse est une garce ?

Mais enfin, Jeanie, qu'est-ce que tu fiches ? Tu dors ? Tu passes ton temps à faire *tilt* sans marquer de points, secoue-toi, ma fille, secoue-toi !

Parfois, j'ai l'impression de tellement te connaître...

Journal de Jeanie

C'est vrai qu'il me connaît. Par moments, j'ai même l'impression qu'il m'imite.

Matinée bien remplie. Rangements, inventaire pour Noël, poussière, etc. Ils ont déjeuné de bon appétit. La Vieille m'a parlé de la « grrrande soirrrée » de Noël : ils vont s'empiffrer et célébrer le Seigneur, Lui apporter des offrandes. Pourquoi pas une Jeanie et une Clarisse ? En prison, il y avait une Française, elle m'appelait Jeanisse, elle prononçait « Djénisse », ça la faisait rire. Paraît-il que c'est un nom de vache.

A la télé, cet après-midi, ils ont donné un film de science-fiction. C'était l'histoire d'une chose qui imitait la forme des gens, pour s'emparer d'eux. On ne pouvait pas savoir en qui la chose s'était transformée, ça pouvait être vous ou moi… ou lui ?

D'accord, j'ai honte d'écrire ça, mais je l'ai pensé… et si c'était quelque chose qui s'était déguisé en humain, une chose affamée de sang, qui me jouerait la comédie et m'expédierait sur de fausses pistes : la sorcellerie, la névrose, la schizophrénie, le crime de l'Orient-Express… ben quoi, faut bien rigoler un peu.

Ce soir, Herr Doktorrr apportera une guirlande lumineuse pour l'Arrrbre.

La mère de Karen est passée rendre le bonnet que Sharon avait oublié dans sa voiture. J'ai mis le bonnet dans mon placard.

Je suis en train de me rendre compte de mon erreur : je n'arrive pas à croire que c'est l'un d'eux. Je suis fixée sur cette relation avec lui et je n'en crée pas avec eux, alors qu'il est l'un d'eux.

Je n'aurais jamais cru que ma pauvre tête pourrait se poser autant de questions. Tu vois, Papa, je suis pas si gourde... Bien que je me sois laissé prendre dans la maison en pain d'épice, la maison de l'Ogresse... Ça y est, c'est l'heure de retourner au turbin.

Journal de l'assassin

Cet après-midi, j'ai rencontré la grosse poule blonde de Papa. Elle m'a pris par le bras et nous avons marché un moment. Elle sentait le parfum. J'ai essayé de m'écarter, mais elle me tenait serré, je voyais sa poitrine se soulever, je sentais son haleine, je n'arrive pas à croire que Papa et cette femme...

Moi, ça me dégoûterait de faire ça avec elle. Je ne comprends pas pourquoi ils pensent tous tout le temps à ça. En tout cas, personne ne nous a vus ensemble. Je fais toujours attention à ce genre de détails. Elle m'a montré l'endroit où elle habite. C'est un immeuble correct. Pas de concierge.

Elle voulait que je monte prendre un verre, mais j'ai refusé. Son mari était en consultation... Ce doit être une nymphomane. Elle m'a dit d'embrasser Papa pour elle. Je déteste son sourire sale. Elle n'a qu'à faire ses sales commissions elle-même.

J'ai entendu Maman qui demandait à Jeanie ce que voulait la mère de Karen. « Rien, a répondu Jeanie, juste me remettre quelque chose. » Qu'est-ce que tu me caches, Jeanie de mon cœur ?

Journal de Jeanie

Pendant qu'ils étaient tous en bas à regarder le film, je suis montée chez le docteur et j'ai pris le Livre. J'ai arraché la page où était dessiné mon visage et j'en ai fait une cocotte en papier que j'ai déposée dans la penderie. J'ai de telles bouffées de haine contre ce porc que je n'arrive plus à me contrôler.

Le Livre est caché ici. Je ne dis pas où. On ne sait jamais. Sur la cocotte en papier, j'ai marqué : *Je suis venue pour déloger le Mal.* Et j'ai tracé quelques trucs que j'avais recopiés dans le livre sur la sorcellerie. Ensuite j'ai enregistré un exorcisme (Jeanie Morgan dans *Le Retour de l'Exorciste VI*) avec une voix sinistre, déformée par un mouchoir (c'est de l'hébreu ou je ne sais quoi, c'est très impressionnant). Et pas de traduction. Qu'il s'interroge.

Je vais écrire une lettre anonyme à la grosse blonde pour lui dire de ne pas fréquenter les fils du docteur. Elle s'inquiétera, mais elle restera en vie : *Espèce de garce, le père ne te suffit pas, il te faut aussi le fils !*

Voilà, ça ira très bien. Oh, la barbe, plus de gnôle ! En racheter. Le froid augmente. Besoin de carburant. Bonne nuit, les petits.

Demain matin, j'irai placer le magnéto. C'est bizarre qu'on ne se soit jamais rencontré sur le trajet.

Je suis en train de penser que, l'autre fois, il avait dû mettre le magnéto en route juste quelques secondes avant que j'arrive. Qu'il savait donc que j'allais venir…

Ça voudrait dire qu'il l'avait déposé pendant que je faisais la salle de bains… juste à côté ?

Ça voudrait dire ça ?

Journal de l'assassin

Elle a abîmé le Livre !

J'ai déplié sa ridicule cocotte en papier et je l'ai poignardée plusieurs fois de toutes mes forces. Rien ne délogera le Mal d'ici, rien, je suis ici chez moi, tu entends ? chez moi ! J'ai planté mon couteau dans tes joues, dans ta bouche, ta bouche surtout qui vomit des insultes, j'ai écarté tes lèvres serrées avec la lame du couteau et j'ai bien fouillé sous ta langue, entre tes dents, une belle bouillie rouge et pulpeuse pour que tu te taises, tu entends ?!

…

L'autre nuit, tu as eu de la chance, tu sais, mais tu n'en auras pas toujours. Je suis patient et obstiné. La foi déplace les montagnes et elle déplacera mon couteau jusqu'à tes tripes…

Ce matin, tu as donné une lettre au facteur. Je n'aime pas beaucoup que tu envoies des lettres. Tu n'as rien de mieux à jouer ?

Journal de Jeanie

Je n'ai pas mis le magnétophone. Pas eu l'occasion. Pendant la sieste, j'ai entendu une porte s'ouvrir. J'ai entrouvert la mienne. Clark est passé, il est allé aux toilettes. J'ai laissé la porte entrouverte, au cas où… en gardant mon revolver à la main (tu parles d'une allure si quelqu'un m'avait vue), bref, une autre porte s'ouvre, je jette un œil : c'est Mark. Il entre chez Jack. Une autre porte : c'est Stark, il descend, remonte avec du lait, cette manie de boire du lait, retourne à ton biberon… Mark ressort de chez Jack. Rentre chez lui. Clark revient des toilettes, avec son bouquin à la main. Plus personne ne bouge. Le docteur se ramène et beugle : « On y va, on y va. »

Je ferme ma porte dès que je l'entends. Remue-ménage, ils descendent. La Vieille reste en bas à tricoter devant la télé. Bien.

Et ce soir, avant qu'ils reviennent, j'ai trouvé son mot :

CQFD = c'est de la magie !

Je crois qu'on se moque de moi.

Pour le magnétophone, voilà ce que je vais faire : demain à midi, le docteur ne rentre pas. Il a une visite à l'hôpital. Dès que j'aurai desservi : « Je monte faire la salle de bains, Madame. » Là, j'attendrai de les en-

tendre rentrer dans leurs chambres, pour leur sacro-
sainte sieste. Je mettrai le magnéto en marche. Je refer-
merai la porte de ma chambre, bien fort. Je suis sûre
qu'il ira voir.

Il va sûrement fouiller toute la baraque pour retrou·
ver le Livre, mais ma cachette est bonne.

Enfin, on verra. Au lit. J'ai emprunté une bouteille
de sherry à la mère de Karen.

Pas mauvais, ce sherry.

Journal de l'assassin

Ce matin, la blonde était là. Elle m'attendait. Je lui
ai dit que j'étais pressé, mais elle a insisté pour que
j'aille prendre un verre. Chez elle. J'ai accepté. J'avais
une demi-heure de libre, c'était suffisant. Nous sommes
allés chez elle.

Mon corps est parfois obligé de faire ce genre de
choses pour que les autres ne se méfient pas : il ne faut
pas qu'ils sachent comme je trouve ça dégoûtant. A
peine arrivés, elle m'a donné de l'alcool (du whisky),
j'ai horreur de ça, mais personne ne le sait. J'ai bu, elle
a bu : « Mettez-vous à l'aise. » Elle a enlevé ses chaussures : « Mon mari opère à l'hôpital, il avait rendez-
vous avec votre père... » Elle se trémoussait dans tous
les sens, si j'avais eu mon couteau...

Je transpirais, je sentais la sueur sous mes aisselles,
elle voulait que je le fasse, impossible d'y couper, je
me suis approché et je l'ai embrassée sur la bouche, un

peu trop fort je crois, elle a reculé en gémissant : « Hé, doucement, grande brute ! » Je l'ai attrapée et j'ai recommencé, elle s'est débattue. Puisqu'elle en voulait, elle en aurait…

Quand je suis parti, elle gémissait et se tortillait comme une pieuvre. J'ai fait le charmant, je l'ai consolée : « Excusez-moi, je n'ai pas pu me contrôler, vous étiez tellement séduisante… » (Grosse truie, pensais-je, tu préférerais que je t'aie enfoncé un bon couteau de cuisine ? Tu devrais me remercier à genoux d'avoir touché ta chair avec la mienne !) Je lui ai souri gentiment, du moins j'ai essayé… Elle a reniflé, elle s'est rhabillée, elle n'était pas réellement mécontente.

Après ça, ils diront que c'est moi qui ne suis pas normal.

En rentrant à la maison je me suis lavé un long moment.

Je vais aller voir. Je sais que ma petite Jeanie attend de mes nouvelles… Elle vient de refermer sa porte, j'y vais.

Journal de Jeanie

Étrange, aucune porte ne s'ouvre. Je n'entends rien, la Vieille joue du piano en bas, elle répète un cantique. Un cri. Est-ce que j'ai entendu un cri ?

Personne ne bouge, j'ai dû rêver. Qu'est-ce qu'il fait ?

Journal de l'assassin

Je suis dans ma chambre. Petit cahier, petit cahier, tu es mon seul ami, je suis tout seul, j'ai peur...

La voix a dit quelque chose, la voix m'a parlé, elle grondait et elle soufflait des mots, la voix est venue derrière moi pendant que je caressais le manteau de Maman. La voix de la vipère, avec ses sifflements et ses chuintements de vipère qui rampe et qui veut mordre, je lui arracherai les crocs !

Les mots, je n'ai pas compris les mots, les mots étaient durs, ils voulaient me blesser, c'étaient des mots magiques comme ceux que je murmure en remplissant le Livre... Je n'ai pas peur de la voix, je sais bien que c'est la tienne, tes mots n'ont pas de pouvoir, tu veux jouer au Maître, hein ? mais tu ne peux pas, ta voix est fausse, tes mots sont faux... tu n'as pas encore compris que tu comptes pour du beurre ?

Mais je t'ai laissé un message.

Journal de Jeanie

Ça y est, ils sont partis. Je les ai regardés partir. Calmes et souriants. Jack est remonté chercher son écharpe. Clark grignotait un chocolat. Stark plaisantait avec Mark à propos d'une fille...

...

Il n'y avait pas de notes. Mais le magnéto était sur le lit. Quelle imprudence ! Si la Vieille avait voulu se reposer !

Le magnéto était arrêté. Je l'ai mis en marche. Je vais retranscrire ce que j'ai entendu : *Infandum, regina, jubes renovare dolorem. Abyssus abyssum invocat !*

Qu'est-ce que c'est que ce charabia ?

Tout ça dit avec sa voix aigre et brûlante de sorcier. Peut-être que c'est une malédiction ? Je devrais demander au libraire, il a l'air de s'y connaître. Je vais voir si la mère de Karen descend au village, si elle peut me déposer.

9

Réflexions

Journal de Jeanie

Cet après-midi, la mère de Karen m'a déposée chez le libraire. Je lui ai demandé de me traduire deux expressions que j'avais trouvées dans un bouquin et que je ne comprenais pas.

Il a souri, il a regardé dans un dictionnaire de « locussions » (comment ça s'écrit ?) latines et il a traduit : « Tu m'ordonnes, ô Reine, de renouveler une terrible douleur ! » Fin de la première partie. Et ensuite : « L'Abîme appelle l'Abîme. »

D'après le libraire, ça veut dire qu'une faute en appelle une autre.

Est-ce que ça veut dire que les meurtres vont s'enchaîner en cascade ou bien que ma faute (le rappeler à l'ordre) va entraîner sa faute (un nouveau meurtre) ou bien encore qu'en lui rappelant sa douleur je vais précipiter le cours des événements ? Ou, ou, ou, où vais-je, où cours-je, et ma tête en courant où la fourre-je ?

Ce soir, après le repas, j'ai apporté son courrier au

docteur, dans la bibliothèque. Des trucs savants. J'ai pris mon air niais et je lui ai demandé s'il savait lire le grec et le latin : «Évidemment, quelle question ! la connaissance du passé est la voie de l'avenir. » Etc., etc. J'ai eu droit à une demi-heure de sermon avant de pouvoir me barrer...

La seule chose intéressante, c'est qu'il m'a dit qu'il regrettait qu'aucun de ses fils n'ait voulu suivre cette voie, ils ont l'esprit mathématique... Il leur a bien inculqué quelques rudiments, mais...

Faut croire que les leçons de ce bon docteur n'ont pas été inutiles pour tous ses fils, vu qu'il y en a un qui ne l'a pas perdu, son latin.

Je me demande si la poule du docteur a reçu ma lettre.

J'ai l'impression qu'il va se passer quelque chose.

Journal de l'assassin

Bonjour, Jeanie. Tu as bien dormi ? Pas de message pour moi, aujourd'hui ? Bien, à plus tard alors.

Journal de Jeanie (magnétophone)

Tu ne t'en sortiras pas. Tu ne vois pas que tu es perdu ? Il est encore temps de revenir en arrière. Tu vois, je ne dissimule pas ma voix. Je laisse l'appareil en marche. Écoute : qui que tu sois, il y a dans ce monde une place pour toi. Il suffit que tu arrêtes tout ça, tu comprends ? Tu n'es sûrement pas aussi mauvais que tu le crois.

Journal de l'assassin (magnétophone)

On ne te paye pas pour faire des sermons, Jeanie de mon cœur, on te paye pour faire la vaisselle. Je t'ai laissé trop de liberté et tu en abuses.

Aujourd'hui, la poule de mon père est venue me chercher : elle avait quelque chose d'urgent à me dire. Elle me l'a dit.

Je me demande bien qui peut écrire des horreurs pareilles sur mon compte… Elle, du coup, elle ne veut plus me revoir. C'est ennuyeux. J'avais prévu quelques réjouissances pour elle et tu l'en prives bêtement… Je pourrais peut-être t'en faire profiter à sa place ? Qu'est-ce que tu en dis ?

Tu ne reconnaîtras jamais ma voix, Jeanie, parce que ce n'est pas ma voix.

Journal de Jeanie

Il avait laissé le magnéto devant ma porte. En ouvrant, j'ai marché dessus. Ce qui m'inquiète, c'est que je ne l'ai pas entendu le déposer, j'ai dû m'assoupir, je dors si mal la nuit en ce moment, je suis tracassée… On sonne.

…

La mère de Karen s'est suicidée. Elle s'est mis la tête dans le four. Son mari était absent pour quelques jours. Elle n'a pas supporté la solitude.

Voici la version de l'officier de police qui vient de nous avertir. C'est le jardinier qui l'a découverte. A cause de l'odeur du gaz. (En plus, on aurait tous pu sauter…) Les gosses sont au village avec leur père. La Vieille pleure, elle doit avoir une de ces provisions de mouchoirs… ça devient une habitude, la tragédie, ici. Enfin, pour une fois je ne pense pas que ce soit lui, ou alors… pendant la sieste ? On marche en haut… Non, j'ai dû rêver, j'ai les nerfs à vif.

Et pourtant, il l'avait prévue, cette mort. Mais il aurait osé ? si vite ? avec tout le monde dans la maison ? Il faudrait qu'il soit devenu fou furieux.

Je les entends qui rentrent. Je suis dans la cuisine. Rires, bousculades, ça sent la neige, ça sent Noël. Pauvre petite Karen, pauvre famille, quel destin affreux.

Et moi, qu'est-ce que je fais dans cette histoire ?

Journal de l'assassin

La maman de Karen s'est suicidée. Quelle triste nouvelle ! Elle s'est suicidée d'un grand coup sur la tête et puis, après, elle a mis cette même tête dans le four et a ouvert le gaz à fond... Pauvre femme, le chagrin l'a tuée...

Tu vois, Jeanie, je devine tout. Je t'avais bien dit qu'il lui arriverait malheur. Aussi, quelle idée de me laisser entrer chez elle... Aussi sotte que sa fille. Elle devait bien se douter qu'avec la neige personne n'entendrait rien. C'est si calme, n'est-ce pas, avec la neige qui étouffe tous les sons...

Est-ce que tu vas continuer longtemps à te mêler de mes affaires ? Tu ne peux plus t'en passer ? Tu aimes ça, que je tue ? tu aimes donc vraiment ça, Jeanie ?

Journal de Jeanie

Je suis sûre qu'il bluffe. Il ne l'a pas tuée. C'est le hasard. Je ne marche pas, tu entends, sale porc ? je ne marche pas ! Dire que, cette pauvre femme, elle m'avait à peine donné cette bouteille, et cette bouteille elle est déjà vide, comment vont les choses, hein ?! Avec ces émotions, j'ai la gorge toute sèche, besoin de plus penser à rien, dormir, rigoler, ça fait combien de temps que j'ai plus rigolé ? Soif d'eau, prendre un verre d'eau...

L'eau me donne envie de vomir. Impression que j'aurai toujours soif. Je vais voir si la fenêtre est bien fermée.

Il s'est remis à neiger. En bas, je les entends qui chantent. Le docteur avait pas l'air de bonne humeur, il a bu comme un trou. Peut-être disputé avec sa poupoule adorée...

Que je suis bête! Bête comme une oie, deux oies, un troupeau d'oies, faut que j'aille voir cette fille, et que je lui demande avec lequel elle a... Un peu gênant à demander, faut que je trouve un biais. En plus, s'il me voit tourner autour d'elle, est-ce que ça ne va pas la condamner? Oh, flûte et zut et occiput! Faut que je pionce.

Je dédie une pensée à la mémoire de la maman de Karen qui a tant souffert.

Journal de l'assassin

Ce matin, j'ai vu Papa entrer dans l'immeuble de sa catin. S'il savait qu'elle et moi... Moi aussi, je suis un homme. J'ai des besoins à satisfaire. Il avait l'air pressé, pauvre vieux Papa. Peut-être que Maman et lui ne font plus ces choses ensemble, non, je ne veux pas penser à ça.

J'ai attendu un moment pour voir s'il ressortait. J'espère que cette catin ne lui a pas parlé de moi. Si jamais Papa me convoquait dans son bureau pour me dire... je nierais tout, bien sûr. Mais ce serait bien ennuyeux. L'idéal serait qu'elle quitte la ville. Si seulement je pouvais, cette vieille charogne... mais non, ils feraient peut-être le rapprochement avec Sharon et le reste. Tu as de la chance, vieille peau dégueulasse dont le seul souvenir me donne la nausée.

Et toi, Jeanie, fiche-moi la paix, je ne suis pas d'humeur à rigoler.

Journal de Jeanie

Hier soir j'ai encore trop bu, ça devient une habitude. Ouais, je sais, ça fait longtemps qu'elle m'est venue, cette habitude.

Il est temps de faire un bilan. Je vais faire ça bien proprement et après je prendrai une décision.

Bilan :
Nous sommes à cinq jours de Noël. (Ils sont d'ailleurs en train de répéter avec cette Clarisse, qui les accompagne au piano.)

La famille comporte six membres :
– le père, docteur ;
– la mère, cardiaque, un peu gâteuse, elle a perdu un fils ;
– Mark, stagiaire dans un cabinet d'avocats ;
– Clark, football universitaire ;
– Stark, diplôme d'informatique ;
– Jack, Conservatoire de musique.

Le tueur se présente comme l'un des quatre fils du docteur March.

Profil du tueur :
– il tue uniquement des femmes ;
– il semble stimulé sexuellement par le fait de tuer ;
– il aime les navets ;
– il aime les frites ;

– il lui arrive de pisser au lit ;

– il a des malaises : soif, vertiges, tremblements ;

– il a horreur du whisky ;

– il est aimable et souriant ;

– il connaît le latin (ou a un livre de citations) ;

– il a une écriture qui n'appartient à aucun des membres de la famille ;

– il a des délires « mystiques » ;

– il a une voix méconnaissable ;

– il devine tout ce que je pense ;

– il aime jouer ;

– il a besoin qu'on s'occupe de lui ;

– il voudrait tuer sa mère ;

– il couche avec la maîtresse de son père ;

– il tue d'une façon différente chaque fois ;

– il fait des cauchemars ;

– il a bon appétit ;

– il ne prend pas d'alcool ou presque jamais (aucun d'eux n'en boit souvent) ;

– il est très fier de sa famille ;

– il me hait, me craint, me méprise ;

– il se déplace sans bruit ;

– il sait tout de mon passé ;

– il adore mentir ;

– il a essayé de tuer sa cousine Sharon quand il était enfant (il a réussi dix ans plus tard) ;

– il laisse entendre qu'il a aussi tué un de ses frères ;

– il tue à intervalles de plus en plus rapprochés ;

– il cherche toujours à se donner bonne conscience (au début, au contraire, il était fier de tuer pour le plaisir).

Voilà pour le profil, je relirai mes notes pour voir si je n'ai rien oublié.

Autres observations :
– le tueur cache ses notes, son journal, dans l'ourlet du manteau de fourrure de sa mère, dans un placard, dans la chambre de celle-ci ;
– le tueur tient une sorte de Livre de sorcellerie, où il dessine les visages de ses victimes, les barbouille et les mutile ;
– la seule aventure sexuelle qu'il ait évoquée est celle qu'il a eue avec la maîtresse de son père ;
– la mère du tueur semble savoir qui il est, ou s'en douter (est-ce qu'elle sait qu'il a sans doute tué son autre fils ?) ;
– le libraire m'a dit qu'il avait une clientèle fidèle pour les trucs de sorcellerie ;
– le tueur a essayé plusieurs fois de me faire ouvrir ma porte la nuit ;
– il m'a droguée ;
– il a fait des cochonneries contre ma porte ;
– je ne l'ai jamais vu (ça, on s'en doute !) ;
– depuis le peu de temps que je suis ici, il a tué (ou s'est vanté d'avoir tué) : la fille de Demburry, Karen, Sharon, la mère de Karen. Soit quatre victimes. Il projette de tuer la maîtresse du docteur. A ce rythme, il n'aurait pas pu commencer très tôt sans se faire remarquer. C'est donc récemment que cette frénésie lui est venue. Depuis que je suis là ?

Et si c'était moi ? J'adore les frites et les navets, j'ai horreur du whisky... Mais je n'ai pas couché avec la maîtresse du docteur... Je débloque.

Continuons cette *check-list* (ça fait bien, ça fait aéroport) :

– dans la remise, il y a un pantalon à carreaux qui appartient au docteur, et le tueur de Karen portait un pantalon à carreaux… ;

– le tueur skie bien ;

– je ne l'ai jamais « vu » paraître abattu par ses meurtres, sauf pour Sharon.

Je commence à tourner en rond, j'arrête.

Pourquoi est-ce que je n'arrive pas à m'attaquer réellement à ce problème ? Il m'a jeté un sort ou quoi ? J'ai envie de brûler son Livre. Non, ça me priverait d'indices. Et de preuves.

Ah ! une dernière remarque : ce sont des « jumeaux ». On les reconnaît parfaitement bien à leur style de vêtements et à leur coiffure. Mais ils ont tous les mêmes traits. Alors, ça ne facilite pas les choses.

Il sait que je bois. Pas la peine de se le cacher, je bois. Et il le sait. Et il s'en sert.

Arrêter de boire.

Toujours les mêmes résolutions. Ça fait trois ans que je prends les mêmes résolutions et ça ne résout rien du tout.

10

Pause

Journal de l'assassin

C'est génial ! Tu entends, ma vieille, génial ! Les flics ont attrapé l'assassin de Karen ! Ce que je peux rire, mon bon vieux Bon Dieu… Tu récompenses Tes fidèles serviteurs, hein !

Tu vois, Jeanie, tu es du mauvais côté de la barrière, le bon côté, c'est le mien, c'est le côté de la liberté, le côté du plaisir, pas ce petit truc dégoûtant que vous pratiquez, ce frotti-frotta, ça, c'est juste un hors-d'œuvre, non, le côté du vrai plaisir, celui qui touche au Mal, à la Douleur, à la Chair, le plaisir de la plaie ouverte et saignante. Tu vois que Dieu ne t'aime pas, c'est moi qu'Il aime et qu'Il récompense !

Ils l'ont attrapé, ils ont attrapé l'assassin, la la la… Le grand flic a sonné ce matin au petit déjeuner et nous l'a annoncé. Jeanie était toute blanche, elle devait croire qu'il venait pour moi, l'andouille, la grosse andouille, et puis surprise ! La bonne nouvelle ! C'est un jeune dingo qui a fait ça, sans famille, sans maison, un va-nu-pieds, un débile, il traînait dans le coin… on le soupçonne d'ailleurs d'avoir trempé dans d'autres affaires non élucidées malgré la compétence bien connue de nos services de police...

Il dit qu'il ne se souvient de rien. Il a un pantalon à carreaux et du sang sur sa chemise. Il est très mal élevé, et on l'a vu frapper un chien à coups de pied. Il paraît qu'il risque la chaise électrique, bien fait pour lui, quand on fait ce genre d'horreurs on a ce qu'on mérite, pas vrai, chérie ?

Quand le flic a dit ça, Jeanie est devenue encore plus blanche, t'étais pas belle à voir, chérie, tu nous regardais tous, chacun son tour, mais tu n'as vu que des joues bien rasées et des visages frais et des sourires soulagés, ô combien ! Maman aussi était soulagée, avec ce vilain sadique dans le coin, elle n'était pas tranquille. Papa a dit : « C'est bien, c'est bien » en toussotant et puis, comme on était pressés, on a remercié le flic (un lieutenant) et celui-ci s'en est allé.

On a pris nos casquettes et nos bonnets et on est partis. C'est Mark qui a pris le volant. On a vu le flic qui parlait avec le père de Karen, Papa a mis la radio.

Pas de message pour moi, mon amour, tu dors sur tes lauriers ?

Journal de Jeanie

Ce matin, le flic est venu, le grand maigre avec la moustache, un lieutenant, je crois, et, ça y est, ils ont attrapé le tueur... Tu parles d'une bonne nouvelle !

Je les ai tous observés, ils finissaient leur petit déjeuner, ils disaient : « Tant mieux, c'est pas trop tôt » et des trucs dans ce genre. A un moment, j'ai eu l'impression que Stark ricanait, il est allé chercher sa sacoche, mais quand il est revenu il m'a regardée et il avait l'air tout à fait normal. La Vieille a soupiré. Faut dire qu'elle doit se sentir soulagée !

Ils sont partis. J'ai entendu la voiture démarrer. C'était Mark qui conduisait, j'ai regardé par la fenêtre et j'ai vu le lieutenant, en face, avec le père de Karen, qui gesticulait et le repoussait. Pauvre type : sa femme et sa fille…

Je suis sortie en courant (j'avais pas de manteau, j'ai eu froid) : « Monsieur, monsieur ! » Le flic s'est retourné : « Oui, mademoiselle ? – Vous êtes sûr que c'est lui ? Comment vous pouvez en être sûr ? – N'ayez pas peur, il a avoué, mais si vous savez quelque chose il faut nous le dire. – Est-ce que c'était le sang de Karen, sur ses habits ? – On ne sait pas encore, on attend le rapport du laboratoire, je vous tiendrai au courant, ne vous en faites pas. »

Et puis il est monté dans sa tire, il m'a saluée d'un petit signe de tête et il a démarré, avec un sourire. Pas mal, le sourire. Si c'était pas impossible, je dirais qu'il m'a à la bonne, sans jeu de mots !

Je vais aller voir s'il y a des nouvelles de mon petit copain. Pas eu le temps de monter ce matin. Et pas envie non plus. Envie de fermer les yeux et d'attendre…

…

Petit con. Vermine. L'écraser, l'écrabouiller à coups

de savate sur la figure ! Stop, suffit, calme-toi, ma fille, va faire la bouffe, va mettre ton tablier, va attendre qu'on te règle ton compte. Si seulement ce foutu sang pouvait être celui de Karen et tout ça une mauvaise blague !

...

Oh, merci, merci, le lieutenant vient de me téléphoner, c'est le sang de Karen, oh, merci, c'est bien lui, cet Andrew Je-sais-pas-quoi, c'est lui qui l'a tuée, oh, c'était une blague, une blague stupide, et j'y ai cru tout ce temps ! Oh là là, je chiale, je vais leur annoncer la nouvelle à table ce soir, mais quel jeu débile, quel jeu débile ! Je vais me passer un peu d'eau sur le visage, vite, je suis en retard.

Journal de l'assassin

C'est bien le sang de Karen. Mais oui. C'est bien Andrew le tueur. Le mystère est résolu. Bravo, Jeanie, tu as gagné, tu t'es fait aider, mais tu as gagné, je t'ai bien eue, hein ? Quand tu as claironné ça à table, tu étais tellement contente, et Maman donc, et Papa, un festival de joie et de gaieté, du coup on a chanté comme des anges, ce soir. Le petit jeu est fini, alors ?

Dommage, je m'amusais bien. On s'amusait tous bien, la fille de Demburry, Sharon, tout ça, jusqu'à ce que ces idiots de flics fichent tout en l'air.

Va faire un tour au cimetière, je suis sûr qu'elles sont toutes sorties de leur boîte pour fêter la bonne nouvelle. Peut-être même qu'elles vont venir dans ta chambre cette nuit vider une bouteille de champagne... après tout, c'était qu'une blague de mauvais goût, non ?

Bonne nuit, Sherlock Holmes. Dors tranquille, tout est en ordre ! *Vade retro*, mauvaises pensées, l'assassin est sous les verrous. Alléluia, alléluia !

Je n'aime pas beaucoup cette Clarisse avec sa moue de scoute, ses yeux baissés, bouche pincée, sûrement moins mijaurée au lit... Qu'est-ce t'en penses, vieille branche ?

Journal de Jeanie

Tu ne m'auras plus. Je t'ai entendu monter, il y a un quart d'heure, pendant que tes parents restaient à parler en bas. Impossible d'aller voir parce que Clarisse, justement, me faisait la conversation (elle avait voulu visiter ma chambre). Je l'aurais bouffée, cette grande saucisse ! Et, bien sûr, quand j'ouvre quand même : plus rien.

Portes closes dans le couloir. Je suis vite allée voir. J'ai lu.

Je lui ai laissé un message :

Fini de jouer. Tu as bien rigolé, moi aussi, maintenant on raccroche. De toute manière, Andrew Machin a avoué tous les meurtres, sauf celui de Sharon, bien sûr. Mais Sharon, c'était un accident et tu le sais, même si tu le refuses, parce que tu l'aimais, n'est-ce pas ? (Ça,

163

je l'ai barré, comme si je regrettais de l'avoir mis.)
Maintenant, on pourrait peut-être s'affronter à visage
découvert... à moins que tu n'aies trop honte pour ça.

Enfin une bonne nuit, sans flingue, sans crampes,
sans trouille, chic chic chic, et il croit me faire peur
avec Clarisse, c'est ridicule.

Est-ce que le cinglé a tué la mère de Karen ? J'ai
oublié de le demander au flic.

Mais non, c'était un suicide, c'est tout. Une suite de
coïncidences. Et comme il ne supporte pas la réalité de
la mort, il se l'attribue, il fait semblant d'avoir un pouvoir sur elle, d'être comme Dieu, et moi, je cours ! Au
lit, au lit, j'ai tant de sommeil à rattraper !

Il y a du bruit en bas. C'est peut-être un voleur. Je
devrais aller voir ? Non, je me couche.

J'y vais, mais je prends le magnéto. Qu'on ait au
moins mon dernier soupir enregistré !

Allô, allô, ce que c'est ridicule de chuchoter dans
un magnétophone à minuit sous la neige, tout est éteint,
c'est amusant de voir la maison de dehors, je gèle, personne en vue, je rentre vite, ce petit tour m'a ravigotée,
vigotée, vigotée, la la la, je chante soir et matin, je
chante dans mon jardin, je me caille, brrr brrr, la tempête m'encercle, brrr brrr, la neige me recouvre, Jeanie
en chemise de nuit traque les voleurs la nuit, ça lui va
bien, à Jeanie !

Vite, vite, rentrons, crétine de porte qui se ferme
toujours, mais qu'est-ce qu'elle a ? elle est coincée, on
dirait... Putain de froid, pardon, magnétophone, putain

de froid quand même, tu vas t'ouvrir, sale porte ? on dirait que… la poignée ne tourne pas, ils ont mis le verrou, ces…! Je vais être obligée de sonner…

Ils sont sourds ou quoi ? Non mais vraiment ! Ils l'auront voulu ! Mais, nom d'un chien, on pourrait la défoncer, cette porte, personne ne bougerait !

J'ai froid… Il doit faire moins dix, alors avec ma robe de chambre, mais enfin… qu'est-ce qui se passe ! Tiens, tiens et tiens, ça va les réveiller ça, sourdingues, je vais te la foutre en l'air, cette porte, je vous en prie, venez ouvrir, je vous en prie… Il les a tous tués et il me laisse crever dehors : « Un autre accident, désolé, lieutenant… » Une idée : le téléphone, je vais aller chez le père de Karen…

Sa voiture n'y est pas, il doit être en tournée. Je ne sens plus mes pieds, ni mes mains, je crois que je vais tomber, il faut qu'ils ouvrent, ils le font exprès, je vais m'évanouir, je tremble tellement, les mots dans ma bouche, ça me fait mal, ouvrez cette porte, nom d'une pipe !

Journal de l'assassin

Il fait froid, cette nuit. On dirait qu'il y a un animal dehors qui gratte à la porte, qui gémit. Le pauvre, avec ce froid, le pauvre petit animal ! Adieu, Jeanie.

Journal de Jeanie

« Vous êtes folle, Jeanie, de faire tout ce tapage ? (C'est ce que le docteur m'a dit en ouvrant la porte.) Nous n'avons rien entendu, ma fille, avec les portes fermées, vous savez… – Mais qui a mis le verrou ? – Je ne sais pas. Allons, il est tard, bonne nuit ! – Bonne nuit. » Vieux salopard ! Si j'avais pu le descendre ! J'ai réécouté ma voix au magnéto, elle tremble, c'est drôle… enfin, drôle… si on peut dire.

Je bois un grog bien chaud. Si je tenais le cornichon qui a mis le verrou ! Je suis sûre que j'ai attrapé la grippe.

Je n'arrête pas d'éternuer ! J'ai des frissons, j'ai peur d'avoir de la fièvre, j'ai passé une nuit atroce, à me tourner dans tous les sens et à suer comme une vache ! Il fait à peine jour, je vais descendre, ce que c'est mal chauffé ici !

Journal de l'assassin

J'entends Jeanie qui descend les escaliers, elle tousse, la pauvrette, elle a dû prendre froid, avec cette drôle d'idée de se balader sous la neige, les femmes sont vraiment imprévisibles…

Je t'entends tousser, chérie, ça me fait de la peine… Tu veux que je te prenne dans mes bras pour te consoler ?

Jeanie

Je ne couche pas avec les gosses impuissants, mon chéri, continue plutôt à te tripoter tout seul, c'est de ton âge.

Journal de l'assassin

Salope ! Tu vas voir ce que je vais te faire, tu verras comme je te serrerai bien fort, tellement fort que ta langue de vipère te sortira de la bouche !

Tu devrais prendre des antibiotiques, c'est fatigant de t'entendre tousser et puis, à table, c'est dégoûtant.

Pour Noël, je tuerai Clarisse. Quand elle joue, elle ouvre la bouche, ça me dégoûte ce trou noir et puant, ça m'empêche de me concentrer sur les cantiques, elle sent la femelle en chaleur, comme toi, ma chérie.

Tu sais quoi ? Je vais être magnanime : je veux bien échanger Clarisse contre toi. Choisis. Tu aimes tellement faire le bien.

N'oublie pas. Le soir de Noël. Dans quatre jours.

Journal de Jeanie

Et il remet ça ! Non mais vraiment, j'en ai marre ! Il sait bien qu'ils ont chopé Andrew, quand même, les meilleures plaisanteries ont une fin ! Je ne lui réponds plus, je l'ignore. On a passé la journée à monter et descendre. Ça va être les vacances, je vais de nouveau les avoir tous dans les pattes. De toute manière, c'est décidé, je vais l'épier et voir enfin sa tête, maintenant je ne risque plus rien. Le soir de Noël : quel mélo, faut te renouveler, coco.

Et le Livre ? Tiens, j'ai une idée, je vais lui enregistrer un petit quelque chose... Et le mettre là-bas. Je vais monter ostensiblement (ça aussi, c'est un mot difficile) après le repas. Je serai à peine redescendue qu'il se précipitera et alors là, moi, je monterai aussi et je le surprendrai... Si je n'avais pas le nez qui coule comme ça, j'aurais envie de chanter !

Journal de l'assassin

Jeanie vient de monter, je l'ai vue, elle ricanait d'un air malin. Qu'est-ce que tu nous prépares, Jeanie ? J'espère que c'est meilleur que ta cuisine. Je vais aller voir.

Voir ton petit piège de femme de ménage. Mais je vais quand même prendre quelques précautions. C'est pas aux vieux singes qu'on apprend à faire la grimace, Jeanie, et je suis un vieux singe, avec beaucoup d'expérience...

Alors, c'est ça, hein... Tu crois que ça me fait quelque chose, je m'en moque que tu sois en train de le brûler, tu entends? je m'en moque, j'entends les feuilles froissées, j'entends les feuilles qui se consument, mon Livre, mon Livre, oh, tu ne sais pas ce que tu fais, et cesse de marmonner cette incantation stupide, tu veux m'enlever la vie, enlever ma sève, Jeanie.

J'ai arrêté la bande et je te parle. Tu m'entends? tu entends ma voix? tu viens de signer ton arrêt de mort, ordure, les mots ne peuvent rien contre moi, j'ai tracé le cercle à la craie, je suis protégé, je suis protégé, *noli me tangere*, Jeanie, moi aussi je sais les mots qui percent et qui frappent comme des pierres. Tu as ôté la vie au Livre, imbécile, et la tienne en même temps, la tienne qui s'échappe de tes veines dans le bruit du feu que tu as allumé, méchante, tu es méchante, quelqu'un vient, je le sens, c'est toi, hein, c'est toi, j'entends ton souffle...

Journal de Jeanie

Il était là! J'ai failli l'avoir! Il était là, penché sur le magnéto, il chuchotait, j'entendais sa voix de dingo, toute petite et méchante, il me tournait le dos... Non, ça ne s'est pas passé comme ça, voilà comment ça s'est passé:

Je monte sans bruit, j'entends un chuchotement qui monte et qui descend, comme deux voix qui s'entre-croisent. Je suis derrière la porte, je retiens mon souffle, j'ouvre d'un coup, je vois quelqu'un qui me tourne le dos, quelqu'un qui a un manteau de fourrure sur le dos et qui parle dans le magnéto, je vois ça en une seconde, le col relevé du manteau qui me cache la tête baissée, je pense : C'était elle, c'était elle, je ne peux penser que ça. Elle se retourne, elle a un masque, ça va tellement vite, un masque d'Halloween, qui rit.

J'avance, elle avance, j'ai le revolver dans la main, je l'ai dans la main, mais je ne sais pas, je reçois le manteau sur la figure, je me débats, je ne tire pas parce que le revolver tombe et en même temps je reçois un coup, un coup dans le ventre, très fort, le repas me remonte dans la bouche, je me plie en deux, on serre le manteau sur ma tête. « Je joue plus, je crie, pouce, je joue plus ! » Le revolver est à côté de moi, une main le prend. Je crie : « Non ! Non ! » « Jeanie ? (C'est la voix de la Vieille.) Jeanie, où êtes-vous ? » On me pousse, je tombe, je rejette le manteau, plus de flingue, je cours comme une folle, je descends l'escalier, en bas je m'arrête.

La Vieille est en train de servir du thé, le docteur lit un journal, Mark allume la télé, Stark cherche une revue, Clark se regarde dans la glace de l'entrée, Jack est au piano, il commence à jouer *Star Spangled Banner*. Je suffoque, je tousse. « Mais enfin, Jeanie, vous avez vu dans quel état vous êtes ? », me demande le docteur par-dessus son journal, puis il baisse la tête.

Pendant une seconde, j'ai eu l'impression qu'ils souriaient tous, qu'ils souriaient tous la tête baissée, qu'ils riaient de moi. Je me vengerai, nom de Dieu, je me vengerai !

Je n'ai plus le revolver. Il l'a pris. Qu'est-ce que je vais faire ? Il va me descendre ? Non, puisque ce n'est pas lui le tueur, puisque c'est cet Andrew... Cette toux, je n'arrête pas de tousser, je suis fatiguée... Je suis remontée ranger le manteau. A côté de la porte, il y avait un masque d'Halloween, je me suis penchée par-dessus la rampe, j'ai demandé : « A qui est ce masque ? » Ils ont haussé les épaules, je l'ai flanqué à la poubelle. J'ai récupéré le magnéto et j'ai écouté sa voix, encore et encore, pauvre cinglé !

J'ai jeté les cendres du bouquin : plus besoin de tout ça, maintenant. Je saurai jamais qui c'était, j'arrête les frais, après tout, l'essentiel, c'est que le cauchemar soit fini.

11

Reprise

Journal de Jeanie

Depuis deux jours, rien. Calme plat. Ils sont tranquilles, ils préparent la fête. J'ai rangé les bouquins que j'avais achetés. Je partirai après Noël. Je ne pense pas qu'il me dénoncera : ça aussi, ça faisait partie du jeu. Je regrette de ne pas savoir le fin mot de l'énigme. Je me sens un peu mélancolique. Peut-être parce que je sens que cette période de ma vie est finie et qu'il va falloir que je reparte, de nouveau, vers des terres inconnues. Je ne me sens pas l'âme d'un marin et pas non plus celle d'une brave ménagère. Assez gémi, je vais aller les aider à tout mettre en place.

Je me demande pourquoi il n'écrit plus. Sans doute que pour lui aussi le jeu est fini. J'ai un bleu sur le ventre là où il m'a cognée, un gros bleu qui fait mal, cette violence... il doit quand même être un peu dérangé...

J'ai envie de commencer ma valise. Le téléphone. Quelqu'un a décroché. Quelle heure est-il ? 11 heures. C'est un peu tard pour un appel... Je me demande qui c'est... Je vais voir. A tout à l'heure.

...

C'est curieux. La poule du docteur n'est pas rentrée chez elle. Son mari est inquiet. Le docteur aussi, il est tout pâle, il essaye de le dissimuler mais ça se voit comme le nez au milieu de la figure.

La Vieille marmonne, les garçons s'en fichent éperdument : Stark a bricolé un jeu vidéo et ils s'amusent comme des fous. Je me demande pourquoi cette grosse truie a fait une fugue... C'est pas mes oignons.

J'ai un curieux sentiment de malaise.

Journal de l'assassin

Elle n'est pas rentrée chez elle, son mari s'inquiète. Qu'est-ce que tu en penses, petit journal chéri ? Mauvais mauvais... Des fois qu'un pourri lui aurait fait sa fête... Près du pont, par exemple, avec le bruit du chemin de fer, personne n'entendrait rien, sale coin pour traîner quand on est une femme... Une pauvre femme sans défense.

C'est amusant ce nouveau jeu vidéo que Stark a bricolé. Clark a gagné toutes les parties, Mark a fait le plus mauvais score, Jack est bon mais il se déconcentre. Allez, je vais au lit. Rude journée en perspective.

Journal de Jeanie

Il est près de 3 heures du matin. Il fait froid. Je tousse toujours. J'ai les yeux qui coulent. Je n'arrive pas à dormir, je peux pas respirer. Je me suis enveloppée dans une couverture et je réfléchis. (Je vais prendre le magnéto, ça sera plus facile parce que j'ai les doigts gelés.)

A quoi je réfléchis ? Je sais même pas. Je me mouche. Quel boucan, on dirait que j'ai une trompette au milieu de la figure ! Il y a quelqu'un qui marche en bas. Sans doute un gosse qui a soif. Je vais prendre un bus qui traversera tout l'État, direction le soleil, je m'achète un chapeau mexicain et, olé ! la grande vie !

Le téléphone. Qu'est-ce qui se passe, comment ça se fait que personne ne décroche ? J'ai pas envie d'y aller, pas envie, pas à cette heure, j'ai le cœur qui bat, ça y est, quelqu'un descend, la sonnerie s'arrête, ce que ça bat vite…

J'entends rien, ça a l'air d'aller mal… « Jeanie, Jeanie, venez vite ! » C'est la voix du docteur ! Qu'est-ce qu'il me veut, il est cinglé, à 3 heures du matin ! où est ma robe de chambre ? « Jeanie, il y a eu un malheur, faites-moi du thé, je dois partir ! » Peut pas se le faire lui-même ! où sont mes p… de pantoufles ? Les voilà ! « J'arrive, Monsieur, j'arrive ! »

Journal de l'assassin

Le téléphone a sonné. Il est 3 heures 15 du matin. Papa est allé répondre. J'étais en train de me balader en bas, juste le temps de remonter. Il y avait une sorte de chuchotement dans la chambre de Jeanie. Papa a appelé Jeanie, elle s'agite dans la cuisine, Papa s'habille, il a réveillé Maman qui n'avait rien entendu (avec ses somnifères, on pourrait tirer le canon sans qu'elle se réveille), elle bâille, elle lui demande des choses à voix basse, nous sommes tous aux aguets, sûrement une mauvaise nouvelle, nous n'avons vraiment pas de chance en ce moment... Je vois une lumière dehors, une lumière qui clignote, ce doit être la police, est-ce que Papa aurait fait quelque chose de mal? Pauvre Papa, s'il se retrouvait en prison...

Je suis passé devant la chambre de Jeanie, la porte était entrouverte, je suis entré. Sur la table devant la fenêtre, il y avait un cahier, je l'ai pris. C'est très instructif, ton cahier, Jeanie, pauvre petite fille, pauvre imbécile, maintenant tu n'as plus de secrets pour moi, plus d'arme et plus de secrets. Qu'est-ce qui te reste? Ton gros cul!

Papa sort. Il monte dans la voiture des flics, Maman et Jeanie parlent, j'entends que les autres bougent, mêlons-nous au mouvement.

Journal de Jeanie (magnétophone)

Je suis complètement à plat. (Mon cahier a disparu, c'est pour ça que je parle là-dedans.) J'avais laissé ma porte ouverte quand je suis descendue, il a dû en profiter, le cahier a disparu. Il a tout lu, il sait tout ce que j'ai pu penser, tout ce que je voulais cacher, tous mes projets. Y compris la date de mon départ. Y compris de quoi me faire aller en taule. Bonne soirée, vraiment ! Mais il ne se lassera jamais de ce jeu, ce petit débile ? Passons aux autres nouvelles, encore plus gaies.

La grosse poule a disparu. Ou plutôt, on l'a retrouvée. Près du pont, derrière le chemin de fer de l'usine. Elle était en bas sur la berge, fracassée en mille morceaux, comme Sharon, Dieu ait son âme ! Ils ont trouvé ma lettre sur elle. La police est venue chercher le docteur. Le mari était déjà là-bas, ça a dû barder... Peut-être qu'ils vont croire qu'il l'a tuée... Et peut-être que c'est vrai. Peut-être aussi qu'elle s'est suicidée, parce qu'elle avait peur, ou honte, je ne sais pas, ou que son mari avait tout découvert, à cause de ma lettre... Faites qu'on l'ait tuée, je ne veux pas être responsable de ça... Mais qu'est-ce que je raconte ?

Je sais qu'il est en train de lire ce que j'ai de plus secret, je me sens violée, impression de tomber en chute libre. Je me souviens, quand j'étais toute petite, Papa me lançait au-dessus de sa tête, sensation de creux dans l'estomac... ça m'exaspère de parler dans un appareil, j'ai l'impression d'être une démente qui joue à la guerre des étoiles... Est-ce que le docteur va revenir? J'attends la sonnerie du téléphone avec impatience, il est 4 heures passées, j'ai bu du thé en bas, ça m'a énervée.

Je vais essayer de dormir, je suis dans mon lit, la porte est fermée à clé, je vais laisser l'appareil en marche et somnoler un peu... C'est idiot, mais ça me rassure de l'entendre bourdonner...

...

Le téléphone... Le téléphone... Non... C'est la porte d'entrée, je viens, je viens!...

...

Qu'est-ce que c'est que cette plaisanterie? C'était le masque que j'ai foutu à la poubelle, posé sur le paillasson. Je l'ai remonté dans ma chambre... il y a un mot dedans (quelle heure est-il? 6 heures!), j'arrive pas à le lire, je vais allumer.

Alors, Jeanie, c'est passionnant, toutes tes petites confessions... Si tu savais comme tu es près de la vérité, chérie, mais, dommage, tu n'auras pas le temps d'en profiter...

Ton amant dans la mort.

Me réveiller à 6 heures pour ça! Le docteur n'est toujours pas rentré, ils l'ont arrêté, c'est sûr, c'était son amant, on arrête toujours l'amant, une voiture, j'entends une voiture, elle s'arrête, la Vieille se réveille, elle passe devant chez moi (je reconnais son pas, avec le bruit des mules), on vient de sonner. Le docteur qui aurait oublié ses clés? Tout le monde bouge, je vais voir, et ce coup-ci je ferme à clé. (A force de monter et descendre ces foutus escaliers, je vais pouvoir disputer le marathon de New York.)

Journal de l'assassin

Ils n'ont pas arrêté Papa. Le veinard... Quelqu'un avait envoyé une méchante lettre à cette pauvre poule, et elle a sauté du pont parce qu'elle a été terrassée par la peur et le remords... et Papa a lu la lettre, certainement, et il sait que l'un de nous a tringlé sa bonne femme, et que quelqu'un d'autre est au courant, et il doit croire que c'est Maman, ou cette garce de Jeanie, qui l'a dénoncé... Même pas la peine de la mettre à la porte, Papa, elle va s'en aller toute seule, loin, très loin, t'en fais pas.

Les flics, eux, vont venir fouiner ici, chercher le fils chanceux qui partageait la couche du père. Est-ce que j'ai vraiment bien fait de ne pas récupérer cette lettre ?

Elle croyait que j'avais vendu la mèche, tu comprends ? elle voulait des explications : on s'est donné rendez-vous là-bas, un coin tranquille, pas de curieux, pas de promeneurs...

On a commencé à parler, elle s'est énervée, et moi, je voulais être gentil, mais je n'avais pas beaucoup de temps, elle m'a pris le poignet, j'ai voulu me dégager, elle a tenu bon, je n'ai pas réfléchi, je lui ai donné un coup de poing dans le ventre, elle s'est pliée en deux et elle a vomi, je ne pensais à rien, juste que maintenant elle en savait trop, elle savait que je n'étais pas si gentil que ça, que je pouvais faire mal, très mal, et, ça, personne ne doit le savoir, tu le comprends bien, personne ne doit connaître mon vrai visage.

Elle s'est relevée, elle allait crier, elle a ouvert la bouche pour crier, je lui ai attrapé les chevilles et j'ai soulevé, elle s'est accrochée au parapet, mais elle était encore sonnée, j'ai poussé... Badaboum ! Je me suis retourné : pas un chat. Un convoi de l'usine est passé, je me suis éloigné, tranquille : avec la hauteur, pas de danger qu'elle en réchappe. Mais pas eu de plaisir : trop rapide, trop... propre. Du coup, j'ai eu envie de quelque chose de plus consistant, ça m'avait ouvert l'appétit.

Je vais te dire, Jeanie, tu ne crois pas que c'est moi, hein, tu crois que c'est cette andouille d'Andrew Machinchose ? Le pauvre type, il avait dû farfouiller sur le cadavre de Karen pour piquer des trucs, c'est un simplet, tout le monde le sait...

Donc, ma chérie, tu ne crois pas que je suis l'auteur unique et compétent de cette atroce série de meurtres ? Alors, écoute bien, ou plutôt lis bien avec tes petits yeux rouges de sommeil (tu as trouvé mon petit message ? tu as ouvert bien vite, tu sais, j'ai failli être surpris), sale pocharde, lis avec attention le journal demain matin, il y aura de la viande fraîche en première page, je peux même te dire que ça portait un pantalon rose et collant. A toi de jouer. Je te reçois cinq sur cinq.

PS : Je t'ai dit que j'avais été frustré... Fallait bien que je me rattrape. Sois pas jalouse, y en aura pour toi aussi... Smack !

Journal de Jeanie (magnétophone)

Aaatchoub! Berde! Berde de rhube! Il est 3 heures de l'après-bidi, j'ai le nez qui coule, je suis dans ba chambre sous un édredon, à causer dans ce bagnétophone de berde. Ça se précipite! J'ai des frissons, je dois avoir la fièvre. La Vieille b'a dit d'aller be coucher, j'ai pris de l'aspirine en pagaille, on verra bien!

Du coup, je sais plus très bien où j'en suis... Peut-être le délire qui be guette... Ce batin, je be suis réveillée en sursaut, à 8 heures, j'avais fait des cauche-bars tout le temps, avec tout ce qui s'est passé cette nuit!

Quand le docteur est rentré, on est tous descendus, le docteur avait une sale tête, il nous a expliqué qu'on avait retrouvé une lettre sur la poule : qu'elle avait eu des tas d'abants, et elle s'est sans doute suicidée pour éviter le scandale.

Pourquoi on l'a appelé lui, ça, bystère, pas pipé bot là-dessus! Ils ont gardé le bari pour l'interroger, le docteur semble hors de cause, bais baintenant il doit savoir que l'un de ses borpions chéris couchait avec sa baîtresse... ça va barder! Après, le docteur est bonté se coucher, et puis nous aussi. Entre ça, le bessage du cinglé et cette butain de soirée de Noël, j'en peux plus.

Ça be fait benser que ce batin, en be levant, je suis allée voir là-bas, j'ai trouvé un bot du borveux, je l'ai pas encore lu, pas eu le temps, baintenant ils sont tous je sais pas où et je b'en fous, je basse bon temps à be torcher le nez... Je vais le lire. Bêbe pas pu banger à bidi, envie de vobir... Voyons...

Berde ! Il faut que j'aille voir le journal, ce n'est pas possible.

Je ne veux pas que tout ça recobence, je ne veux pas, s'il vous plaît, Seigneur, faites que ce soit une coïncidence, je veux pas, je veux pas, j'en ai assez.

...

Butain de journal de berde, une fille de dix-sept ans, dix-sept ans, tu entends, Seigneur ? égorgée, tu sais ce que c'est d'être égorgée ? En brison il y avait une fille, elle avait égorgé son bari, elle criait : « Le sang, le sang, ça gicle, le sang », on lui filait des calbants.

Cette fille borte, elle avait un pantalon rose, ils le disent dans le journal, elle avait dix-sept ans, elle s'appelait Jabie, elle travaillait à l'usine. « Le sadique frappe de nouveau. » Gros titre. Ils disent qu'on va peut-être relâcher Andrew, que la police pense que c'est le bêbe type qui a encore frappé. Pensez ça, police, je vous en prie, pensez efficacebent, pour une fois.

Cobent il pouvait le savoir avant que le journal soit impribé ? Cobent ? Je sais cobent. Mais je ne veux pas, je ne veux pas !

Si la police revient, je leur dis tout. A Dieu vat !

A boins qu'à 6 heures il soit sorti en douce acheter le prebier journal paru ? Bais oui, c'est sûrebent ça, dès qu'on est rebontés se coucher, il est sorti et il a vu ça et il a saisi l'occasion de be faire peur ! Ben oui ! Que je suis bête ! J'ai failli be faire avoir cobe un bleu ! Faut que je be bouche. Ah, ça va mieux… C'est sûrement ça, pas d'autre solution. Et maintenant, repos.

Journal de l'assassin

Quel bel après-midi ! Il fait gris, un gris sinistre, un gris épais, étouffant, j'aime bien ça, quand c'est tout sombre, avec la neige en rafales. Papa faisait une drôle de tête, à midi… Il regardait tout le monde d'un sale œil. On était surpris, on ne savait pas pourquoi (sauf moi, bien sûr), on pensait que c'était à cause de cette nuit, le dérangement, l'interrogatoire des flics. Ce qu'il se demandait, ce cher Papa, c'est lequel d'entre nous avait joué au petit cheval avec sa jument…

Pauvre Papa… Maman aussi était bizarre. Pincée. Elle doit se douter de quelque chose. D'autant que les flics ont téléphoné ce matin, savoir ce qu'ils lui ont raconté… Pauvre Maman… Jeanie a le nez qui coule, elle renifle sans arrêt comme une malpropre.

Je t'ai entendue farfouiller ce matin, en me réveillant, mais je sais que tu n'avais pas lu le journal parce que je l'ai vu dans la bibliothèque, avec la bande autour.

Elle te plaît, ma surprise ? Tu comprends qui est le Maître, ici ? Jeanie, ne l'oublie jamais : tu es ici à notre service, pour notre utilité. Je ne plaisante pas, je t'explique quelque chose, mais je sais que tu n'y feras pas attention, comme d'habitude, et, comme d'habitude, ça te retombera sur le nez.

Si seulement tu ne l'avais pas fourré, ce nez, dans mes affaires !

Journal de Jeanie

Trop tard !... Ce que tu oublies, mon petit, c'est que je fais ça par hasard, parce que mon métier, à moi, c'est pas d'essuyer la merde de petits cinglés dans ton genre, mon métier à moi, c'est, c'est quoi au fait ? Détrousser les vieilles, voilà, je suis détrousseuse de vieilles, pas de cadavres, t'entends ?...

Soirée sinistre. D'abord, j'ai lu son papier. Ensuite, servi le repas, avec le docteur visage fermé et la Vieille pincée comme un doigt dans une porte. Clarisse est venue répéter une dernière fois. Les gosses ont chanté de bon appétit, qu'est-ce que je raconte ? de bon cœur, comme si de rien n'était, et d'ailleurs, le meurtre d'une gamine de dix-sept ans ça ne les concerne en rien. Je sais pas quoi lui écrire... *On a assez joué, ça suffit, ça n'est plus drôle.* C'est complètement idiot, mais tant pis, j'ai pas d'idées.

L'assassin

Minuit. Je viens de trouver ton message, Jeanie, juste avant que Maman ne regagne sa chambre, c'est un message idiot.

Pourquoi est-ce que tu parles d'un jeu ? Est-ce que c'est un jeu, ta vie ou celle de Sharon, ou de Karen ou de la fille en rose ou de Clarisse ?

Pourquoi est-ce que ça n'est plus drôle ? Si ce n'est pas drôle, qu'est-ce que tu fais là ? Pourquoi n'es-tu pas loin d'ici à te féliciter de ta vertu ?

Non, décidément, c'est un message idiot laissé par une idiote.

Essaye plutôt de m'empêcher de tuer Clarisse.

Ça, c'est marrant.

Et arrête de boire. L'alcool, ça tue les réflexes. Moi, je ne tuerai pas que tes réflexes, chérie.

T'aimes bien que je t'appelle « chérie » ? Hein, chérie ? Demande-toi pourquoi je t'appelle « chérie ». Tu donnes ta langue au chat ? Parce que t'es ma fiancée ! Tu te souviens de Mary Pickford ? on l'appelait « la petite fiancée de l'Amérique », et ben, toi, t'es la petite fiancée de la Mort, c'est encore mieux, non ? Vraiment, je te jure, tous les efforts que je fais pour toi ! Je vais glisser ça sous ta porte. (Au fait, j'ai relu des passages de ton journal, c'est très bon, tu sais, ma grosse, tu devrais le faire éditer...)

Journal de Jeanie (magnétophone)

Impossible de dormir. Quand même, ça me tracasse, cette histoire... On vient d'ouvrir une porte... On marche. On On On, c'est décidé, j'ouvre.

...

Personne. Le couloir est désert. Pourtant, je suis sûre d'avoir entendu marcher. Et ce n'est pas un fantôme. Il s'est caché. Il est sûrement caché. Mais où? Sous la commode? J'aurais dû le voir. Ce n'est pas normal.

La seule explication, c'est qu'il n'y était pas. La seule explication, c'est que je ne peux pas le voir parce qu'il n'existe pas. Parce que c'est moi. Parce que je suis dingue et que j'ai tout inventé. Parce que peut-être même que je les ai tuées.

En attendant, il n'y avait personne. Mais rien ne me dit qu'il venait par ici. Il allait peut-être aux toilettes ou de l'autre côté du couloir, vers les chambres des parents… Ou peut-être qu'il s'est fondu dans le mur. Passe-muraille. Je vais aller voir. Après tout, qu'est-ce que j'ai à perdre?

La vie?

…

Je parle à voix basse parce que je ne veux pas qu'on m'entende. Je viens d'ouvrir la chambre de Jack, elle est vide. Le lit est défait, mais le gosse n'y est pas. Je me suis aperçue que les portes des autres chambres étaient ouvertes, entrebâillées, je les ai poussées les unes après les autres et il n'y a personne, tous les lits sont vides, c'est incroyable, par contre les portes des chambres du docteur et de sa femme sont fermées et je n'ai pas osé ouvrir.

Où sont les gosses? Qu'est-ce qui se passe ici la nuit? Je pense qu'ils sont en bas, je n'ose pas descendre, c'est peut-être idiot mais j'ai peur. D'un autre côté, ce serait un moyen de savoir… Je ne sais pas quoi décider... On vient, des pas en bas, la lumière s'éteint, ils remontent, je vois leurs ombres, vite, le verrou, ils arrivent, je les entends ricaner, qu'est-ce qu'ils ont comploté ? Ils passent devant la porte, quelque chose me touche le pied, c'est une feuille de papier, ils ont passé une feuille sous la porte, ils ou lui, comment savoir ?

Tout ça ne me plaît pas. Clarisse... Il ne faut pas que cela ait lieu... Qu'est-ce qu'ils faisaient en bas ? Je dois dormir, avec la fièvre que j'ai il faut que je me repose, trouver une parade pour Clarisse, même si c'est une blague, prendre des précautions... Ce mal de crâne me rendra folle !

Journal de l'assassin

Je suis sûr que tu étais en haut des escaliers. Pas vrai, sale fouineuse ? J'ai vu ton ombre rentrer dans ta chambre à toute vitesse... Pourquoi tu te méfies de nous, mon ange des cuisines ? Quelle drôle d'idée ! En groupe, je ne suis pas dangereux, tu le sais bien. Je crois que tu t'affoles et que tu fais n'importe quoi. Aujourd'hui, c'est la veille de Noël, ce soir pour le réveillon on tuera la dinde, et devine, elle s'appelle Clarisse, la dinde, et je suis sûr que tu vas encore être lamentable.

Journal de Jeanie

Pas si lamentable que ça, mon petit chou, parce que j'ai demandé à ta maman si je pouvais inviter quelqu'un et elle n'a pas pu refuser, vous êtes trop gentils pour refuser ça à une pauvre bonniche comme moi, et alors, ce matin, après avoir lu ton torchon, j'ai passé un coup de fil, vous étiez dehors à vous bagarrer dans la neige et, moi, j'ai téléphoné...

Tu te souviens du lieutenant, le type un peu maigre, très poli? Je lui ai demandé s'il voulait passer la soirée avec nous, j'avais remarqué qu'il me trouvait à son goût (eh oui, ça arrive, même aux grosses comme moi) et il avait dit devant moi qu'il était nouveau ici et qu'il ne connaissait personne.

Il m'a répondu que malheureusement il était de service, mais qu'il passerait boire un verre après dîner, pour vous écouter chanter, il paraît que ça vaut le coup. Voilà, c'est ma surprise de Noël, pour toi, petit morveux, ça te fait plaisir?

Je suis dans la cuisine, j'ai griffonné ça au dos de la liste des commissions et je vais le lui monter. J'ai eu honte de relancer ce pauvre lieutenant, il a dû me prendre pour une nymphomane... D'ailleurs, il n'est pas mal, un peu maigre, mais écoute, Papa, tous les hommes ne peuvent pas peser cent kilos. Et, au moins, ce n'est pas un sac à bière... Et puis je m'en contrefiche, du moment qu'il remplit sa mission...

Qu'est-ce que je vais mettre, moi, ce soir? Un tablier neuf? Tu parles d'une séduction... Et si je me mettais une pancarte autour du cou : « Modèle de collection, carrosserie à retaper, cherche pilote casse-cou. »

Journal de l'assassin

Nous sommes allés au village tous ensemble pour les cadeaux... Jeanie est restée seule à la maison, elle a dû fureter partout. Tu as bien fureté, Jeanie ? Pour toi, pas de cadeau, tu n'es pas de la famille. On s'est séparés et on a fait nos courses chacun de son côté, parce que si on sait à l'avance ce qu'on va avoir, ce n'est pas marrant. Dans une vitrine, il y avait un blouson en jean avec des boutons dorés, Sharon avait dit qu'elle voulait ça pour Noël, mais Dieu l'a rappelée à Lui...

Je me fiche de Sharon.

Je suis passé chez l'armurier.

Maintenant, nous sommes dans nos chambres, à emballer les cadeaux. Papa et Maman vont avoir une jolie surprise, nous l'avons préparée cette nuit.

J'ai lu ton idiotie à propos du lieutenant Je-ne-sais-quoi. Depuis quand la police empêcherait-elle le sadique de frapper où il veut et comme il veut ? Depuis que Jeanie la Voleuse lui prête son concours ? Laisse-moi rigoler...

L'armurier m'a vendu un couteau de chasse à lame rétractable, une bonne lame, coupante. Très coupante. Bien, ma chère, je vous laisse, parce qu'il se fait tard et que j'ai beaucoup de choses à organiser... Déjà 5 heures ! Comme le temps file. A ce soir !

Journal de Jeanie

5 heures 30. Je viens de faire un saut là-bas, en courant, pour voir s'il avait lu mon mot. Il l'a lu. Et j'ai lu le sien. On a dû se rater de peu. Lame très coupante. Tu parles, il veut me faire avaler qu'il est allé chez l'armurier à visage découvert, comme ça, s'il y a un meurtre, pas de problème, on le retrouve en dix minutes ? Il me prend vraiment pour une bécasse. Pourquoi ce mensonge ? Je vais fouiller leurs chambres, il faut que je change les draps, pas eu le temps hier…

12

Coups bas

L'assassin

Tu as fouillé les chambres. Tu as touché tous les papiers et tout remis de travers. Qu'est-ce que tu cherchais ? Ah oui, le couteau ! Tu sais, si tu étais moins bête, tu n'aurais fouillé qu'une chambre, comme ça, si j'en avais parlé, c'est que ç'aurait été la mienne, tu piges ?

Tu me diras que je ne sais pas si tu as fouillé les autres.

Mais est-ce que je me trompe ?

Journal de Jeanie

6 heures 15, je viens de monter dans ma chambre pour prendre des gouttes et il y avait un papier sous la porte. Comment sait-il que j'ai fouillé toutes les chambres ? Est-ce qu'il bluffe ? Est-ce qu'il m'observe sans arrêt, en faisant semblant de parler avec les autres ?

Et la surprise pour les Vieux, c'est quoi ? Une chaise électrique ?

Où sont ces gouttes ? Les voici. Ce soir, je garderai le magnétophone sur moi. On ne sait jamais. Assez radoté, je redescends.

Journal de l'assassin

Tout le monde est excité. L'arbre brille de tous ses feux, c'est très joli. Maman est allée se faire une beauté et Papa se mettre en habit. Nous dînerons avec le père de Karen, les Beary et leur bébé, Clarisse et le docteur Milius... pauvre homme, on ne pouvait pas le laisser tout seul après cette (nouvelle) tragédie !

Qu'est-ce que je vais mettre ? Pas la peine de saliver, Jeanie, je ne suis pas assez bête pour te décrire mes vêtements. Je serai beau, c'est sûr. Nous serons beaux, mon visage et moi. Est-ce que tu as entendu parler de cette chose qui se met dans les gens et qui les mange ? Je suis peut-être en train de te dévorer, Jeanie, et tu seras comme moi avant de t'en être rendu compte. Est-ce que tu n'aimerais pas me tuer ?

Maman a dit que tu dînerais avec nous, parce que c'est Noël. C'est gentil, n'est-ce pas ? Après le repas, on chantera les cantiques. Il y aura ton flic. Et, au dessert, le cadavre de Clarisse... Bêeelle nuit, saiiinte nuit, bêlez, tas de moutons stupides, votre berger se fiche de vous, et l'étoile que vous suivez dans le ciel n'est que le reflet de mon couteau dans vos yeux !

Journal de Jeanie (magnétophone)

Cinq minutes de repos. J'ai le nez rouge, quelle horreur ! Juste le temps de prendre une douche et de m'habiller.

Je vais prendre ma douche.

Encore un message… Toujours la même chose ! Je pense qu'il a peur parce que le lieutenant va venir. Je vais mettre ma robe rouge, elle est jolie et puis c'est la seule que j'ai.

Et s'il me polarisait sur Clarisse pour mieux m'exécuter, moi ?

Est-ce que ce magnétophone se voit dans cette poche ? Non, ça va, je suis l'agente secrète la plus élégante du pays !

Allons-y ou cette pauvre dinde (la vraie !) va être carbonisée. Ah ! rajouter les bougies sur la table !

…

Merry Christmas ! Je suis aux toilettes et je chuchote ! La soirée est très réussie : Milius et Blint n'ouvrent pas la bouche et semblent tout le temps au bord des larmes, en plus ils sont déjà saouls. Le docteur, toujours plein de tact, rigole beaucoup et raconte des histoires salaces. Les garçons sont très chics, on dirait des mariés. La Vieille semble préoccupée, elle a les paupières qui clignotent. Avec toutes les drogues qu'elle prend… Le couple avec le gosse est très gentil, ils ont couché le bébé dans la chambre de la Vieille, ils aiment plaisanter et boire. Je suis un peu ivre et ça m'a donné envie de faire pipi !

A un moment j'ai eu l'impression qu'on m'observait, j'ai tourné la tête, mais personne ne me regardait... J'ai le hoquet. Entre le hoquet et le nez qui coule, on peut dire que je suis sexy !

Oh ! j'oubliais de vous parler de la surprise ! La surprise des gosses !

C'est une crèche animée, avec Jésus et tout, les Rois mages, le bœuf, ça bouge et ça fait de la musique, ils ont bricolé ça tout seuls, ça a dû leur prendre des heures. C'est ça qu'ils trafiquaient pendant que je croyais qu'ils invoquaient le Diable ! On sonne, ce doit être le lieutenant, vite, vite, flûte, j'ai filé un bas...

Journal de l'assassin

Joyeux Noël ! Joyeux Noël à tous ! J'ai bu du champagne et j'ai la tête qui tourne. Juste le temps de griffonner ce petit mot ! Tout va bien. Le flic est là et Jeanie se pavane. Clarisse ouvre tout le temps sa grande bouche. Les gens ont amené un bébé, il dort là-haut... Papa et Maman ont été très contents de la crèche, c'est une bonne idée, non ? Difficile d'écrire en s'appuyant sur le mur. Je retourne me mêler aux autres. Le tout est de ne pas se faire remarquer.

Journal de Jeanie (magnétophone)

Finalement, ça a été une très bonne soirée. Le lieutenant, Bob, Sissy, le docteur et la Vieille jouent aux cartes, et Milius et Blint continuent de se saouler. Clarisse et les garçons s'amusent avec la console de jeux vidéo, moi, je suis allée me recoiffer (tu parles, je vois même pas le peigne), je colle ma bouche contre le micro, et hop ! On est vraiment tous beurrés, même les gosses arrêtent pas de ricaner et de dire des sottises et d'aller et venir dans tous les sens. Comme ils sont habillés et coiffés pareil ce soir, Clarisse arrête pas de les confondre, ça fait rigoler tout le monde. Ils ont bien chanté, ça oui, c'était très beau. Dommage que j'avais le hoquet...

J'arrive pas à croire que c'est la même maison, normale, avec des gens normaux, qui plaisantent normalement ! Fini, cette sale impression d'être tombée chez des ogres.

Hein, P'pa, ce que t'as pu me faire peur avec ça, l'histoire de la fille qui tombe chez les ogres et elle sait pas que c'en est, et, eux, ils l'engraissent pour la manger... Je voulais pas qu'ils la mangent à la fin, mais toi tu disais : « C'est comme ça, c'est l'histoire. » Ils vont croire que je suis malade, je retourne là-bas. Oh, oh, ça tangue, redressez la barre, en avant, toute !

It's a long way to Tipperary, it's a long way to go...

Journal de l'assassin

J'ai mal au cœur.

Jeanie est ivre morte, je la vois qui tangue. Nous jouons aux énigmes et elle croit que j'écris pour trouver, mais non, Jeanie, c'est à toi que j'écris, comme d'habitude… J'ai trop chaud, la nausée me vient, nous avons bien chanté, c'était beau, et maintenant Clarisse se serre contre moi et me sourit, elle est ivre, elle aussi, amusez-vous bien, profitez-en, je vous ai préparé une surprise… On me parle, je dois répondre. Ne pas me tromper en répondant.

Journal de Jeanie (magnétophone)

Alors là, pardon, pardon, milord, où est le couvercle de ces chiottes ? Écoute bien, magnéto de mes deux, écoute bien, ici Jeanie au rapport, tout va bien, moussaillon, le lieutenant me fait de l'œil… J'ai une tête, une tête affreuse, beeerk ! cette langue est chargée, madame ! Fin du rapport, je retourne au salon, ils sont en train de resservir des liqueurs, comptez sur moi, les gars, j'arrive !

Journal de l'assassin

Ils vont tous partir, il est tard, nous sommes fatigués. On a décidé de raccompagner Clarisse. Comme tu as de la chance, Clarisse. J'entends les gens qui vont chercher leur bébé, tout le monde se remue. Quelle heure est-il? Il doit être très tard, les gens font du bruit, trop de bruit, pourquoi tout ce bruit pour un sale bébé?...

Journal de Jeanie (magnétophone)

C'est l'heure du départ, ils se lèvent, il faut monter chercher le bé, bébé. C'est affreux, j'y vois plus rien, c'est à cause de l'alcool, je vois tout noir, personne s'occupe de moi, quelqu'un me regarde, je le sens, quelqu'un me veut du mal. Clarisse, Clarisse, viens près de moi, on me laisse toute seule, je crois que je suis dans le couloir, c'est l'odeur des manteaux, je suis tombée dans les manteaux, faut repartir dans l'autre sens...

Qu'est-ce qu'ils font, pourquoi tout ce bruit? on dirait un troupeau d'éléphants, ils crient, c'est ça: ils crient, ils sont cinglés!

Il est très tard, faut plus faire de bruit, hé! vous entendez? taisez-vous! Ils m'écoutent pas, je comprends rien du tout, on s'amusait bien et maintenant... il faut que je dessaoule, je dois me, je dois y arriver, je dois arriver à voir, je veux voir, je suis dans le noir, peut m'attraper, me faire n'importe quoi, non, touchez pas, me touchez pas, je dis tout, c'est tout enregistré, police, police !

Ils parlent du bébé, est-ce qu'ils parlent du bébé ? Le bébé est malade, moi aussi, je suis malade, le bébé, oh, ils disent ça, mais c'est faux, c'est pas un accident, y a jamais d'accident ici, jamais… Le bébé est tombé, sa tête est cassée, la tête du bébé est cassée, ô misère ! ils courent tous, on me bouscule. « Allô ? allô ! » Quelqu'un crie « Allô ? », c'est le docteur, une femme pleure, c'est normal, on lui a cassé son bébé. Pourquoi il pleure pas ce bébé ? S'il a mal, il doit pleurer, moi je pleure bien, je suis pas un bébé.

JE SUIS PAS UN BÉBÉ ! Aidez-moi à sortir du noir, où est la sortie ? où est la sortie ? une femme hurle, peur de tomber, si je lâche ce mur, je tombe, une sirène, j'entends une sirène, j'ai mal aux yeux, c'est la lumière, la lumière sur les carreaux… c'est la salle de bains ! Bonne déduction, Jeanie, bon chien, où est ce p… de robinet d'eau froide ?

Ça va mieux, j'y vois à peu près normalement, juste trois images au lieu d'une, mais j'y vois. J'ai peur d'ouvrir cette porte, j'ai peur de ces cris. Je ne suis plus ivre dans ma tête, juste le corps qui continue à tanguer, où est le lieutenant ? qu'est-ce que je lui ai raconté ? cette sirène, c'est l'ambulance, l'ambulance pour le bébé, je dois ouvrir cette porte, je dois aller le dénoncer !

Journal de l'assassin

Bon vent ! L'ambulance est partie avec le bébé. Le lieutenant nous a fait signer une déposition : ils ont trouvé Jeanie (mais oui, ma vieille, toi-même !) évanouie derrière la porte des toilettes, elle puait l'alcool. Maman a dit au lieutenant : « Mon Dieu, lieutenant, pourvu qu'elle n'ait pas voulu prendre le bébé dans ses bras et qu'elle l'ait laissé tomber… »

Le lieutenant l'a regardée et n'a rien dit. Le père du morpion a levé la tête, il avait les yeux rouges et de la barbe naissante, on se serait crus dans un film. Ils sont tous partis à l'hôpital, le bébé a sans doute une fracture du crâne, il a dû se cogner assez fort contre le montant du lit, avec ces enfants, il faut toujours faire bien attention.

Ils vont sûrement faire une enquête sur toi, Jeanie, ce n'était pas très malin de tuer ce bébé avec tout le monde qu'il y avait ici. Surtout s'ils reçoivent certaines feuilles de ton journal… Tu sais, celles où tu te poses des questions, sur toi, sur ta double identité… Je t'avais prévenue…

Je vais quand même te donner une chance. Je vais te donner jusqu'à demain soir pour me démasquer. Mais c'est vraiment le dernier délai !

Journal de Jeanie

Ce matin, le commissariat a appelé, je suis convoquée à 2 heures. La Vieille est venue me secouer, parce que je dormais. J'ai mis un moment à comprendre : il paraît qu'ils m'ont récupérée dans la salle de bains, j'appelais au secours en poussant la porte alors qu'il faut la tirer... Le bébé est mort ce matin, le docteur nous l'a dit à midi, avec une tête sinistre et en me regardant de travers...

Je me souviens mal de cette nuit, par fragments, avec des trous noirs. J'ai réécouté la bande et ça me revient par à-coups, je... je trouve cet enregistrement sinistre. J'ai l'impression qu'on me cogne la tête à coups de marteau, alors je vais écrire le plus vite possible et aller m'allonger.

...

A la police, ils m'ont posé cent mille questions. Le lieutenant était là, très embarrassé, je ne lui ai pas adressé la parole. Apparemment, ils ont rien trouvé pour l'instant, ils pensent que c'est un accident et que la poissarde que je suis en est peut-être responsable, mais c'est tout. Je leur ai juré que j'étais pas montée, et que je n'avais vu personne monter non plus. Mais je suis sûre qu'ils ne m'ont pas crue. Ils n'arrêtaient pas de me dire de faire un effort pour me souvenir, que je me sentirais soulagée après. Je suis restée bête. Je ne me souviens absolument pas d'avoir grimpé l'escalier. Et pour quoi faire ? Mon Dieu ! et si j'avais...? j'étais tellement ivre... Non, c'est impossible ! Je ne comprends pas pourquoi ils sont tellement sûrs que c'est moi.

J'ai demandé au gros flic s'il trouvait normal de voir se succéder autant de cadavres dans l'entourage d'une famille normale. « Justement... », qu'il a dit en me regardant. Et il n'a rien ajouté. Peut-être qu'ils sont moins bêtes qu'ils en ont l'air...

Je ne peux pas quitter la ville.

L'assassin

Jeanie-Planche-pourrie-finit-sa-vie-à-minuit-ce-mardi... Hello, chérie, ça va ? Pas de mots doux, cet après-midi ? Trop occupée à bavasser avec le lieutenant ? Hélas, trois fois hélas, mon ange, il paraît qu'on t'a vue monter chez le baby. Une bonne lettre anonyme déposée chez tes gentils amis flics. Expliquant que je t'ai vue monter à l'étage, y rester dix bonnes minutes et redescendre l'air tout drôle, mais que je ne veux pas dévoiler mon identité de peur que tu ne t'attaques à moi dans ta folie homicide. Je me serais presque fait pleurer moi-même tellement c'était bien torché ! Et tout ça tapé sur la machine à écrire de la bibliothèque municipale.

Peut-être que le lieutenant arrivera un jour à remonter jusqu'à moi, mais tu seras tellement loin sous terre, mon gros tas de chiffons sales, que tu n'en sauras jamais rien, tu n'entendras jamais prononcer mon nom. As-tu deviné comment j'allais te tuer ?

Il est 8 heures, nous allons passer à table, voilà, j'entends Jeanie qui nous appelle : « A table, ça va refroidir. » Elle aussi, elle va refroidir ! Je me trouve

follement amusant. Je te plais tant que ça, chérie ?
Depuis le temps que tu me cours après, tu peux bien me
l'avouer...

Journal de Jeanie

Besoin de repos, besoin absolu de repos, de repos
absolu dirait l'autre, l'autre, je... il y a un papier sous
la porte. Il n'y était pas il y a trois minutes, j'en suis
sûre, je vais voir.

J'ai mal au crâne, je veux plus jouer, je veux rentrer
chez moi, n'importe où, ailleurs, je veux que ça s'arrête, je veux que le bébé ressuscite.

Est-ce possible, tout ce mal, tout ce mal ici, est-ce
possible que je sois confrontée à tout ce mal, à cette
horreur, à ces choses immondes, est-ce que c'est une
punition, est-ce que je l'ai méritée ?

Je ne peux pas avoir mérité une chose pareille. Pas
pour quelques bijoux, pas pour quelques poignées de
fric, écartez ça de moi, s'il vous plaît...

L'heure de ma mort se rapproche. Et je n'y peux
rien. Je n'ai même jamais vu la mer. Je...

Jeanie, tu disjonctes, qu'est-ce que c'est que ce
cirque ? tu ne vas pas mourir, Jeanie, allons, sois sé-
rieuse, tu ne veux pas mourir et tu ne mourras pas. Tu
vivras, ma fille, et tu leur piqueras leur fric et tu mettras
le cap direct sur les Bahamas !

Il faut descendre manger.

L'assassin

Jeanie était morose ce soir. Petite figure triste. Pourtant, le repas était très convenable.

Nous avons des pyjamas neufs rayés de bleu et de blanc, les couleurs de l'azur, et avec mes mains rouges de sang (tout ce délicieux sang versé grâce à moi) je suis resplendissant comme un drapeau! Dieu bénisse notre patrie et la mort que je répands sur son sol fertile!

J'aime bien mon pyjama neuf.

Il faut que tout soit bien préparé. Je ne peux pas la rater. Tu comprends, Jeanie, c'est toi ou moi, maintenant...

Quelle idée stupide d'avoir acheté ce revolver.

Si, à l'instant même où tu lis ces lignes, tu ouvres ta porte, tu auras une surprise...

Journal de Jeanie

Menteur! Il est venu et il a glissé un message sous ma porte, j'ai tourné la tête, j'étais en train de mettre ma chemise de nuit, j'ai vu le message, je l'ai ramassé... A la fin, il disait que je devais ouvrir la porte, que j'aurais une surprise, j'ai hésité, j'ai hésité et j'ai ouvert, j'ai ouvert la porte toute grande, et il n'y avait rien que le noir, que la nuit, à moins que... à moins qu'il ne soit dans le noir, qu'il ne me regarde, confondu avec le noir. J'ai refermé la porte à toute volée et j'ai tourné la clé...

Je suis en sueur, je me sens mal, j'ai des vertiges, c'est peut-être ce verre de gin que j'ai pris en bas, mais j'en avais besoin, je n'en peux plus, il fallait que je le boive.

Le téléphone a sonné, pendant qu'ils étaient à table. C'était les flics, il faut que j'y retourne demain matin.

13

A vos marques

Journal de Jeanie

Est-ce ma dernière nuit sur terre ? Est-ce que je suis vivante pour la dernière nuit ? J'ai souvent pensé aux condamnés à mort qui attendent comme ça, sans pouvoir rien faire, je veux dire que même s'ils désirent très fort tout arrêter, ce n'est pas possible, c'est fini... Je crois qu'il y a un mot pour dire ça, qu'on ne peut pas revenir en arrière, qu'on ne peut pas fuir, changer les choses, qu'on est vraiment prisonnier, prisonnier de soi-même, des circonstances, des lieux, de son corps...

Même si je trouve tout ça idiot, même si je veux m'en aller, c'est trop tard, c'est inscrit, ce qui doit arriver arrivera. C'est comme dans les films où on voit le train d'un côté, la voiture en panne sur les rails de l'autre, et puis la collision, c'est comme ça, c'est comme ça ce jour-là, et ça vient de loin et on n'y peut rien.

Est-ce qu'il veut me descendre avec le flingue ? Ce serait stupide, on ne croirait jamais à un accident... A moins que ? bien sûr... salaud, salaud, mais pourquoi je

me tuerais ? Pourquoi on se tue ? Je le sais bien pourquoi : on se tue parce qu'on a tué un bébé sans le faire
exprès, parce qu'on était ivre, c'est ça, hein ? le
remords ? « Elle était folle de remords, elle s'est
tuée... »

Alors, je ne suis à l'abri nulle part et surtout pas
dans ma chambre. D'un autre côté, il ne peut pas faire
sauter la serrure. Plutôt suspect, une suicidée qui
défonce sa propre porte...

L'assassin

*Jeanie ne m'écrit plus, Jeanie ne me parle plus,
Jeanie boude... Tu boudes, boudin ? Tous tes péchés
vont être punis, enfin punis, tes insultes, tes blas-
phèmes, tes regards méprisants. Notre famille sera
propre, lavée, sans personne pour vouloir me pendre...*

*C'est toi qui seras pendue... J'ai des frissons, je
crois que j'ai pris un rhume. Tu as une sale tête en ce
moment, Jeanie, avec des cernes énormes, une tête de
mauvaise femme qui a fait la fête, tu as fait la fête,
Jeanie ? Tu as cassé le bébé ?*

*Qu'est-ce que tu croyais ? Que j'allais attendre bien
gentiment que tu aies fini toutes tes petites mani-
gances ? Je suis le Maître, je mène le jeu.*

*Est-ce que tu dors ? Je vais voir si tu dors... Est-ce
que tu écris ? Est-ce que tu chuchotes dans le magnétophone ? Est-ce que tu es saoule ?*

Journal de Jeanie

J'entends une porte s'ouvrir. Pas de lumière dans le couloir. Ça avance, ça respire… On a frappé. « Qui est là ? C'est vous, docteur ? » Pas de réponse. Pourtant, je suis sûre qu'on a frappé. Ouvrir très vite, regarder… un message, encore ! Il s'acharne, il me relance, je te manque, hein ? « Est-ce que tu dors… est-ce que tu es saoule ? » Salaud, cinglé, ça t'arrangerait que je sois saoule !

Oublié de tourner la clé dans la serrure… c'est fait, même s'il appelle, je ne répondrai pas, où est ce fichu stylo ? boire un verre de gin, un seul verre de gin, où est la bouteille ?… une gorgée, juste une gorgée, ça fait du bien, ça brûle mais ça fait du bien.

J'ai une idée. Contre-attaquer.

Petit morveux, je vais te tuer, je te tuerai demain soir avant minuit, tout le monde sera bien content que tu meures.

Deuxième idée : je laisse ce mot dans le couloir, il sort, il le prend, je le vois, je lui casse la bouteille sur le crâne… oui, oui, c'est ça, je me cache dans les toilettes, je garde la porte entrebâillée, il est tellement sûr de lui, je le tiens ! Vite, allons-y.

…

Hello, Jeanie, à ta santé !

Ce n'est pas moi qui ai écrit ça. Il y a ça d'écrit sur ce papier sur mon lit.

Il est entré ici. Il est entré ici, il a touché mon lit, mes affaires, il a renversé du gin sur ma robe, exprès, et si vite ! Est-ce que c'est un esprit, est-ce qu'il n'est pas humain ?

Voilà ce qui s'est passé. Je suis sortie dans le noir. Je ne voulais pas allumer, au cas où il m'aurait guettée avec le flingue... J'ai posé le message sur la commode. (Je savais qu'il ne se montrerait pas avant d'entendre la porte se refermer et la clé tourner dans la serrure.) Je vais aux toilettes, je tire la porte, je tourne la clé, rien...

Puis une porte s'entrouvre, je l'entends, je commence à tourner la clé doucement, une autre porte, un pas, on secoue la poignée : « Il y a quelqu'un là-dedans ? (C'est la voix du docteur) – Oui, c'est moi, Jeanie », il reste planté là, je l'entends renifler et s'énerver, je tire la chasse, je sors, c'est allumé et il n'y a que le docteur. Je lui dis : « Bonsoir, docteur. – Bonsoir, Jeanie », il me fait, l'air sévère, en caleçon rayé. Évidemment, toutes les autres portes sont bien closes et le message n'est plus sur la commode. La porte de ma chambre était restée ouverte et il est entré ici, il a mis ses sales mains partout. Pourquoi est-ce qu'il a abîmé ma robe ?

Avec ça, qu'est-ce que je vais mettre demain pour aller chez les flics ? Une serpillière neuve ?

Je n'ai plus sommeil, j'ai de nouveau la nausée : le

gin qui remonte. Je suis pas très claire, je suis tellement fatiguée, mais ça tourne dans ma tête, ça tourne sans arrêt, comme ces roues avec des écureuils qui doivent tourner, tourner, pour ne pas se mordre eux-mêmes, pour ne pas devenir fous.

L'assassin

J'ai moins de plaisir qu'avant. Quand je les tue, ce n'est plus comme quand j'étais jeune. Je ne ressens plus cette... cette chose, je suis juste en colère, je suis très en colère, il faut que je les tue, il faut que je me débarrasse d'elles, sinon j'ai l'impression d'étouffer, j'étouffe toujours comme si j'avais un col trop serré, tu comprends?

Mais, toi, je vais avoir du plaisir à te voir mourir, je t'ai attendue trop longtemps. Tu espérais que je m'attache à toi, que je t'aime, que je t'épargne. Tu voulais me séduire, me dominer, m'imposer ta loi, mais je ne suis pas un enfant, je ne t'obéirai pas, jamais!

Comme tu as dû te sentir bête quand Papa est sorti pour aller aux toilettes! Ta chambre sent la vache mal soignée, tu pues, tes habits puent, ta robe pue le gin. J'ai pris le magnétophone pour écouter ce que tu as pu raconter. Je vais te le rendre pour que tu puisses enregistrer tes dernières émotions avant de crever, comme un chien abandonné. Ma pauvre petite Jeanie, tu aimerais bien que je te fasse « ça », hein? peut-être, si tu es très sage, peut-être je te le ferai pendant que tu mourras...

Journal de Jeanie

Je viens de m'apercevoir qu'il a pris le magnétophone.

Il doit être très tard... 2 heures, déjà, je dois me lever à 7 heures, je devrais me coucher, je devrais être raisonnable, mais, si je meurs demain soir, quelle importance d'aller me coucher?

J'entends du bruit dans le couloir, c'est infernal, c'est incessant, je ne veux pas écouter, c'est comme un murmure, c'est quelqu'un qui murmure, qui semble malade, c'est curieux, est-ce que je suis la seule à entendre ça? Quelqu'un qui serait ivre... Je connais cette voix, cette manière de parler, est-ce qu'il est malade, dans le couloir? Il faut que j'aille voir, c'est peut-être quelqu'un qui est en train de mourir, il les a peut-être tués?

C'est sa mère? C'est une voix de femme qui gémit, qui se lamente, mais est-ce qu'ils ne vont pas bouger? C'est juste là derrière ma porte... le chant des sirènes, Papa me racontait toujours l'histoire du chant des sirènes. Je ne veux pas écouter, je... Mais c'est ma voix! C'est moi qui parle derrière la porte, c'est moi, je me plains... il ne faut pas que les autres entendent...

...

Voilà, je l'ai récupéré, c'est le magnétophone, il a dû l'écouter, il y a un mot...

Tu t'es bien régalé à m'écouter gémir, tu t'es paye

une bonne tranche de rigolade, là, dans ta chambre, dans une de ces chambres, il suffirait que j'ouvre toutes les portes à la volée et je te verrais, assis, en train d'écrire, avec ton pyjama rayé, je verrais ta sale figure pâle, avec ton vrai sourire, tes vrais yeux, là, dans une de ces chambres, tes yeux de fou qui me regarderaient, ça t'a amusé de m'écouter pleurer, de m'écouter être ivre… C'est comme s'il me violait, comme quand il a pris le journal, j'ai envie de le tuer, j'ai tellement envie de le tuer.

Je suis bien contente d'avoir récupéré le magnéto. Ça me fait du bien de parler à voix haute, d'entendre ma voix, de m'entendre penser, pas comme si j'étais enfermée dans ma tête à tout imaginer.

14

Balle de match

Journal de Jeanie

Il neige. Des tonnes de neige. Le ciel est gris, bas, sinistre. Noir. Juste deux mots avant de descendre. Il fait froid. J'ai sommeil, j'ai mal à la tête, je suis nerveuse. Mal dormi, avec des sursauts et des crampes, combien de temps que je ne dors plus bien ? J'entends les pas de la Vieille. J'y vais.

Journal de l'assassin

Il neige. Une grosse neige épaisse. Il fait encore nuit, presque jour, il fait froid. J'entends Jeanie qui remue, Maman aussi, elles descendent à la cuisine. Je vais mettre un mot pour Jeanie :

Bonjour, Jeanie. As-tu vu comme il neige ? Quelle belle journée pour mourir ! Comme si le ciel te tissait un linceul... Tu vois, je fais des progrès en poésie. Est-

ce que tu m'aimes ? Pense bien fort à moi quand tu seras au commissariat, et prie pour qu'ils te gardent en prison...

A tout à l'heure.

Journal de Jeanie

8 heures 45 : je me prépare pour aller au commissariat.

Les gosses sont descendus vers 8 heures. J'ai trouvé un mot sous ma porte quand je suis remontée il y a dix minutes. Il l'a donc tranquillement posé avant de descendre déjeuner. (Ils ont dévoré des crêpes avec de la confiture, ils en ont mis partout, des animaux, ils mangent comme des animaux, comme s'ils crevaient de faim, on dirait des ogres affamés, avec toute cette confiture rouge autour de la bouche, c'était dégoûtant. Surtout Clark, on aurait dit qu'il avait pas mangé depuis deux jours, il en a bouffé six avant d'aller aux chiottes et six après ! Est-ce que les fous furieux ont l'appétit anormalement développé ?)

Je sais pas pourquoi, je sentais quelque chose d'hostile, j'avais envie de m'enfuir en courant, de laisser tomber la vaisselle et de me sauver.

Sans doute qu'il pensait à moi, sans doute que je le sens, que je sens sa haine, son désir de faire mal, de me faire mal à moi, je le sens rôder et regarder, et penser à des choses... Faites qu'ils me bouclent, faites que je finisse ma vie en taule, mais enlevez-moi d'ici !

Les gosses m'appellent, ils s'en vont, le docteur a mis la voiture en route, il faut que j'y aille. J'ai déchiré son message et je l'ai laissé dans le couloir, je m'en moque après tout. Ça va, j'arrive, j'arrive !

Journal de l'assassin

Nous avons amené Jeanie au village, chez les flics. Je la regardais pendant que Papa conduisait (doucement à cause du verglas), elle était toute blanche : je crois qu'elle ne s'est pas remise de la mort du bébé.

Elle est comme toutes les bonnes femmes, elle fait tout un foin des gosses. Je peux bien tuer la moitié de la ville, mais pas un gentil bébé innocent avec de grands yeux aveugles et une bouche baveuse et répugnante.

Vraiment, les gens ne comprennent rien à rien : je suis sûr que, s'ils m'attrapaient, je serais plus puni pour le bébé que pour le reste, alors que c'est le seul meurtre que j'ai commis avec ennui, pour le principe !

Papa est morose. Il n'a pas desserré les dents de tout le trajet. Nous, nous avons bavardé de choses et d'autres : du temps, du match de foot, des cours qui doivent reprendre bientôt, Jack a raconté une histoire sur son prof de piano, une histoire salace, Jeanie le regardait avec attention, la pauvre, elle essaye de comprendre...

Mark semblait préoccupé, il compulsait ses dossiers. Clark nous a montré des photos de son équipe sur lesquelles il fait l'imbécile avec le ballon, on a bien ri. Stark a décidé de s'acheter un nouveau logiciel, on a discuté des prix et tout ça, il n'y a que Papa et Jeanie qui n'aient rien dit. Peut-être que Papa est triste que sa poule soit morte ?

Maintenant il est midi. Je suis dans un self, je mange des œufs brouillés. J'aime bien aller en ville. La serveuse est très vulgaire, avec une jupe trop courte, des genoux sales, elle me sourit, elle a la bouche rouge et grasse, les filles me courent toujours derrière, c'est ennuyeux. Je ne la regarde pas, j'écris, je prends l'air fâché.

Par la fenêtre je vois le commissariat. Nous devons reprendre Jeanie vers 13 heures, si elle a fini. Sinon, Papa nous remontera à la maison. Papa est entré au commissariat, il y a une demi-heure, pour voir comment ça se passait.

Cette c… de serveuse me porte sur les nerfs. Je deviens grossier en ce moment, Maman n'aime pas ça. Il faut que je me surveille, c'est comme des bouffées de grossièreté et de méchanceté qui me viennent, comme si des dents me poussaient et que je doive mordre autour de moi.

La serveuse vient de me rendre la monnaie, elle m'a frôlé la jambe, je me suis vite écarté, je n'aime pas qu'on me touche. Elle n'arrête pas de me lorgner, elle croit peut-être que je vais l'aborder parce qu'elle a ce pull moulant… Pauvre idiote, je ne suis pas comme les autres ! Elle ne voit pas que je ne suis pas comme les autres, elle veut que je lui montre ce dont je suis capable, c'est ça qu'elle veut. Non, pas en ce moment, en ce moment c'est trop dangereux, il faut attendre, attendre un peu, quand Jeanie sera morte, ce sera plus facile. Surtout qu'ils ont cet Andrew. Quand ils l'auront exécuté ce sera mieux, plus tranquille.

Jeanie et Papa viennent de sortir du commissariat, ils se dirigent vers la voiture, je vais les rejoindre.

Journal de Jeanie

Voyons, il a fourré ça dans la poche de mon manteau, est-ce que ça veut dire qu'il était assis à côté de moi ? J'étais entre Mark et Jack, et ensuite j'ai marché entre Stark et Clark et ils auraient aussi bien pu le faire, vu que le manteau a de grandes poches...

A part ça, je vais être inculpée d'homicide involontaire.

J'ai filé mes faux papiers. Mais je pense qu'ils vont vite retrouver la piste. Il faut que je me tire d'ici. Le lieutenant était désolé, il dit qu'il a parlé en ma faveur mais son supérieur est persuadé que c'est moi. Comme ils pensent que c'est un accident, ils me laissent dehors, ils vont réinterroger tout le monde, on ne sait jamais... puisque tout le monde était ivre. Il m'a conseillé un avocat, un type de la ville. Comme si un baveux allait me sortir de là !

Ainsi, il était au self. Le self est à droite sur la place. Jack est arrivé de la gauche et, trois minutes après, Clark du même coin, il était juste 13 heures. Et puis, du fond de la place, est arrivé Stark avec son Walkman sur la tête et, du coin derrière nous, Mark qui courait avec sa serviette à la main. Aucun d'eux n'est venu du côté du self, il a dû faire le tour et nous rejoindre.

Dans la voiture, Jack a parlé de son cours, son cours finissait à 12 heures 30, donc il ne pouvait pas être au self à midi.

Stark a fait des courses. Puis il est allé à la patinoire, il a pris un ticket à 11 heures 30. Je m'en souviens parce qu'il a dit qu'il avait pris un ticket de deux heures et qu'il lui restait du temps dessus, que c'était vraiment bête qu'on ne puisse pas prendre des tickets pour moins de temps… Mais je n'ai pas vu son heure de sortie.

Mark est resté avec son client jusqu'à la dernière minute. Aucune vérification possible. Le docteur était au commissariat, voilà qui l'innocente. Quant à ce porc de Clark, il a dit que l'entraînement s'était prolongé à cause du match de dimanche, mais, là encore, je n'ai que sa parole.

Et puis c'est pas parce qu'il me dit qu'il était au self que c'est vrai. Il pouvait tout aussi bien être au coin de la rue, ou aux toilettes publiques.

Journal de l'assassin

On a mangé du bœuf aux carottes que Maman avait préparé, c'était très bon, bien cuit pour une fois, pas comme la viande de Jeanie, qui est toujours pleine de sang.

218

Jeanie va être inculpée, Papa nous l'a dit pendant qu'elle ouvrait la porte et que nous restions à traîner autour de la voiture. Il nous l'a vite chuchoté. C'est à cause de ce témoignage anonyme. Je me demande bien qui peut être le menteur qui a dit ça...

Journal de Jeanie

J'ai demandé au lieutenant s'il avait reçu une dénonciation anonyme. Il était gêné : « L'enquête suit son cours... – Mais est-ce que vous avez une idée de l'identité de celui qui vous a envoyé ça ? Je vous en prie, dites-le-moi, vous ne comprenez pas comme c'est important pour moi ! (Je le tirais par la manche, il était rouge, le pauvre.) – Vous savez, vous étiez vraiment saoule. – Dites-moi qui c'est, dites-le-moi, je vous expliquerai. »

Le capitaine est arrivé. « Je vous téléphonerai, m'a chuchoté le lieutenant, je vous téléphonerai dès que je pourrai, comptez sur moi. »

J'attends.

Quand j'étais petite, je me racontais toujours que, si un jour je devais affronter des gens (la police, l'hôpital, les pompiers) pour sauver quelqu'un que j'aimerais (pour que ça aille plus vite, pour qu'on me laisse le voir), je ferais n'importe quoi, je camperais dans leur bureau, je crierais, je me débattrais jusqu'à ce qu'ils comprennent... et maintenant c'est moi que je dois sauver et je ne fais rien.

Téléphone. C'est peut-être le lieutenant. On a décroché. Je vais voir.

Journal de l'assassin

Téléphone. Quelqu'un décroche. J'entends Jeanie qui descend, boum boum boum, la patrouille des éléphants dans l'escalier. On parle, en bas. Est-ce que nous devons descendre aussi ? Jeanie remonte. Elle passe devant ma porte. Elle rentre chez elle. Tout un après-midi à attendre, je suis impatient. Voyons, je vais tout vérifier encore une fois.

Journal de Jeanie

C'était le père de Sharon. Il parle avec le docteur. Le docteur a l'air gêné.

J'ai pris une décision. Après dîner, je vais au garage et je file avec la bagnole. Demain je serai loin. Puisque je vais aller tout droit en taule, autant essayer de m'en tirer. En conduisant toute la nuit, je peux attraper un avion à l'aube et ficher le camp n'importe où.

Mais avec quel fric ? Jeanie, tu as une tête qui sert à penser, alors pense, animal !

Le docteur cache du fric dans son tiroir à chaussettes. (C'est dingue ce que les gens aiment planquer leur fric dans leurs sous-vêtements.) Il faut que je pique cet argent, et puis adieu, les copains… Est-ce qu'il met

les clés du break dans le placard à clés ? Il me semble.
Vérifier en descendant. Préparer mon sac. Le minimum.

Le problème, c'est lui Lui donner le change. Mais
il doit bien se douter que je vais pas l'attendre comme
l'agneau du sacrifice. Il va me surveiller serré. Inventer
une fausse parade. Lui donner de quoi soupçonner ?...
Je vais réfléchir.

L'assassin

*Je m'ennuie. L'après-midi est long. Il neige de plus
en plus. Une bonne neige pour effacer les traces. Si tu
décidais de te sauver, Jeanie, tu pourrais aller loin
avec cette neige, avant qu'on retrouve ta piste. Mais tu
ne cours pas dans les bois, tu es une femme, tu te
déplaces en train, en bus, en avion, en voiture... en
voiture...*

*Est-ce que tu ferais ça, Jeanie, est-ce que tu me
ferais ça ? Toi, franche comme l'or, allons, tu aurais
cette idée de te sauver, avec tous ces policiers à tes
trousses prêts à tirer à vue, et puis avec quel argent ?
Tu iras où, hein, sans argent ?*

*Mais c'est vrai, j'oubliais : tu es une voleuse... Une
sale voleuse ! Je l'avais toujours dit, je l'avais toujours
dit qu'elle nous piquerait tous nos sous, quelle imprudence, docteur, de laisser de l'argent dans ce tiroir...*

*Enfin, nous allons la rattraper, l'abattre... Abattez-
la, c'est une chienne en chaleur, elle a tué le bébé, elle
a volé l'argent, il faut la tuer...*

*Je pourrais les laisser faire mon boulot, après tout.
Ce serait plus sûr. Qu'est-ce que tu en penses, la victime ? Non, j'ai une tâche à accomplir, moi, et puis j'ai
trop attendu ça, je veux te voir crever, tu entends ? et
pleurer sur ton cadavre tout chaud, mon ange... Est-ce
que, au moins, tu as des sous-vêtements propres pour te
présenter à Dieu ?*

Journal de Jeanie

Il a recommencé. Encore un message, il les glisse
sous la porte sans que je l'entende.

C'est le Diable.

Comment est-ce qu'il peut voir dans ma tête ?
Comment est-ce qu'il peut penser en même temps que
moi ?

Je ne supporte pas ces questions sans réponses.

Je ne peux pas changer mon plan. Je ne peux pas
rester ici. Demain, ils me condamneront : délit de fuite,
liberté sous caution qui saute, le maximum pour le
bébé, je suis coincée. T'avais pas pensé à ça, hein ?
t'avais pas pensé que si tu tirais trop sur la corde
elle casserait. J'ai plus rien à perdre, maintenant, ça
c'est une erreur que tu as faite, monsieur le délateur
anonyme...

Autre chose : il ne se sert presque plus de la chambre
de sa mère. C'est avec moi qu'il communique, son
journal m'est uniquement destiné, maintenant.

Journal de l'assassin

A moins, Jeanie, my lovely hippopotame, que tu projettes vraiment de me tuer ? Mais ce matin tu n'as pas été seule, tu n'as donc pas pu acheter d'arme. Les couteaux de la cuisine ? tu saurais t'en servir ?

Je relis ton message ridicule. A qui crois-tu faire peur ? Tu ne peux pas me tuer. Tu ne peux pas tuer quelqu'un qui n'existe pas. Tu ne peux pas tuer du papier, des mots, des glissements furtifs, mais tout ça, par contre, « ça » peut très bien te tuer…

Il neige tellement fort qu'on n'y voit rien. On se croirait dans une station polaire. Comme si on était perdus quelque part dans l'Arctique, à attendre des secours qui ne viendront pas.

Est-ce qu'ils m'auront un jour ?

Non, c'est impossible, je suis trop malin.

Journal de Jeanie

Au lieutenant Lucas,

Lieutenant, je n'ai pas tué le bébé, ce n'est pas Andrew qui a tué toutes ces filles et Zacharias March n'est pas mort d'un accident. Il y a ici un assassin, c'est un des fils du docteur. J'ai trouvé son journal où il racontait tout, mais il me l'a repris. Je vous en supplie, faites une enquête et vous verrez que je dis la vérité, je le jure, c'est un fou et il veut me tuer, c'est pour ça que je me sauve. Vous savez très bien que je vais être arrê-

tée, alors, je n'ai rien à perdre et, si je vous dis ça, c'est que c'est la vérité. Je le répète : je n'ai pas de preuves mais je le sais. Fouillez la maison, interrogez-les, vous verrez si je mens.

Celui qui m'a dénoncée, c'est aussi celui qui a tué cette fille à Demburry, et Karen et la mère de Karen et Sharon et la prostituée et la maîtresse du docteur et le bébé et même son propre frère et d'autres encore que je ne connais pas, je le jure devant Dieu.

Je suis désolée de vous causer tous ces ennuis en fuyant, mais je vais tenter ma chance. Pardonnez-moi.

Jeanie.

PS : Ci-joint tous les messages en ma possession. Vous voyez bien !

Voilà, c'est fait. Mickey (le facteur) vient relever les boîtes à 6 heures et, s'il voit cette lettre, dix contre un qu'il la porte directement aux flics et que, cinq minutes après, ils sont là, ils enquêtent ou ils enquêtent pas, mais en tout cas ils me bouclent ! Je posterai ça en partant, c'est plus sûr. Et peut-être que le lieutenant aura appelé d'ici là…

En revanche, si je prépare une fausse lettre, une fausse lettre pour les flics… que je la laisse traîner…

Il pensera que tant que cette (fausse) lettre n'est pas postée, c'est que je ne pars pas. Donc, pourquoi ôter du placard les clés de la voiture au risque que quelqu'un s'en aperçoive (si le docteur a un appel urgent, par exemple) ? Non, tant que je ne vais pas la poster, il ne risque rien : je ne vais pas partir sans poster ma seule vengeance. Bravo, Jeanie, tu es sur la bonne piste, cherche, cherche... C'est un peu gros de mettre cette lettre sous son nez, il faut que je la cache, voyons... Je vais oublier de fermer ma porte... je vais la glisser sous le reste de mes feuilles et oublier de fermer ma porte, non, non, j'ai trouvé : je vais la mettre en bas dans mon manteau. Il faudra qu'elle dépasse bien du manteau...

Au travail ! Je monterai ici pour lui permettre d'aller voir, ensuite je redescendrai et je ficherai le camp, juste après la vaisselle, dès qu'ils seront au salon.

Tout ça est tiré par les cheveux, je ne peux pas partir sans fringues, sans rien... Et l'argent, si jamais il retirait l'argent du tiroir, si j'allais voir maintenant ? C'est risqué, le docteur est en bas...

J'ai trouvé.

Je vais descendre et poser une fausse lettre sur la table avec le courrier à poster demain. Après manger, ils vont au salon, je pique les clés, j'aurai piqué le fric juste avant de passer à table, je vais dans ma chambre, mon sac est prêt, je descends par la fenêtre, oui, c'est ça, je fais une corde avec les draps et je descends par la fenêtre, impeccable, je vais au garage, et raooooff ! adieu, ma jolie !

Avec la neige et le vent, ils n'entendront rien. Surtout que la rue est en pente, je pourrai descendre au point mort... Jeanie, je crois que ça s'arrange pour toi... Le problème, c'est que c'est juste ce soir qu'il a choisi pour te faire la peau, il a donc sûrement un plan, il va donc me surveiller, s'il pouvait remettre ça à demain, si quelque chose pouvait l'obliger à remettre ça à demain...

Jeanie, quelle bonne idée...

Écoute, petit crétin, j'ai une nouvelle pour toi, le lieutenant m'a dit qu'Andrew avait été mis hors de cause...

Ils gardent ça secret pour coincer le vrai meurtrier, mais ils sont sur la bonne piste. Tu te croyais malin, hein ? mais tu l'étais pas tellement... Surtout que j'ai parlé au lieutenant, je lui ai dit certaines choses, ça l'a beaucoup intéressé... On est copains, lui et moi, je suis sûre qu'il n'attend qu'une occasion pour venir fouiner par ici... Enfin, c'est pas mes oignons, hein, petit connard ?

Maintenant, faire mon sac et préparer la corde avec les draps.

L'assassin

Jeanie, Jeanie, tu me fais de la peine. Tu es trop bavarde... Trop sournoise, trop méchante, tu cherches toujours à t'attirer des ennuis...

Tu sais très bien que je ne peux pas téléphoner pour savoir si Andrew est toujours inculpé. Je suis donc censé me tenir tranquille, c'est ça ? Tu veux sauver ta peau, mon bébé ? Tu m'amuses. Tes sursauts de terreur m'amusent. C'est comme si je te tenais la tête sous l'eau et que tu t'agites, ça me rappelle ce pauvre Zack...

Cependant, c'est bien joué. Est-ce que je vais courir

*ce risque ? Est-ce que je vais attendre qu'on t'emmène
là-bas, bien en sécurité ? et que je me retrouve pendu ?*

Ce serait idiot, tu ne crois pas ?

*Tu veux un sursis ? Voyons, quand est-ce qu'ils sau-
ront que tu es une voleuse en fuite ? Demain, après-
demain... Si tu n'avais pas tous ces péchés avec toi
(voleuse, menteuse et maintenant meurtrière !), j'aurais
pu attendre un peu, mais là c'est difficile, Jeanie, tu
peux comprendre ça, je ne peux pas faire autrement...*

Pas de sursis.

*Et ne laisse plus traîner ces mots sur la commode.
Ça me porte sur les nerfs.*

Journal de Jeanie

Pas de sursis. Pas de pause-café non plus. Jeanie,
t'as juste à te transformer en fantôme pour éviter les
balles. Simple, non ?

Déjà l'heure d'aller préparer le dîner ! Je les entends
se remuer, la Vieille a allumé la télé, ça y est, ils se pré-
cipitent, ils gueulent, quatre portes, quatre voix, ils sont
tous en bas, l'étage est désert et personne remontera
avant ce soir. Le fric. C'est le moment.

...

Voilà, je l'ai pris.

Pourquoi m'a-t-il laissé le prendre ?

J'attendrai pas qu'ils dorment, je partirai juste à la
fin du repas, pendant qu'ils seront devant la télé. Le
temps qu'ils comprennent, j'aurai de l'avance et avec la

neige, avec la neige, j'ai une chance de m'en sortir.

Je descends. Les draps sont prêts. Mon sac aussi.
Ainsi que la fausse lettre. La vraie est dans ma poche.
Je suis nerveuse comme tout.

15

Knock-out

Journal de l'assassin

C'est fantastique ! Tout a marché mieux que prévu !
Elle est foutue ! T'es foutue ! Je suis trop excité pour
écrire. Maintenant, je vais t'achever. Et brûler toutes
ces feuilles. « Les feuilles mortes se ramassent à la
pelle et les Jeanie aussi… » La partie est finie.

Journal de Jeanie (magnétophone)

Au secours… Au secours… Je suis malade, je…
j'ai à peine la force de parler, la porte est fermée à clé,
mais je le sens derrière, il guette, il attend, je ne veux
pas m'évanouir, je me sens tellement mal…

Ils m'ont fait manger avec eux, le docteur a servi du
vin, du vin très fort, et du champagne et des liqueurs.
« Allons, Jeanie, qu'il disait, allons, faut pas vous laisser abattre, on est avec vous », et il remplissait mon
verre, encore et encore, et j'ai peur, j'ai peur, il fait

noir, tout est dans le noir, c'est parce qu'ils ont coupé l'électricité, oui, la tempête a coupé l'électricité, mais je m'en moque, je pars quand même. J'ai mis la lettre en bas, l'autre elle est là, sur moi, je la tiens bien, pas de timbre, arrivera quand même, prendre le petit sachet en plastique... « Buvez, buvez », ah, ça, j'ai bu ! Le froid me fera du bien.

Gratte à la porte... Gratte, gratte, m'en fous, ouvrirai pas, pas le temps, où est le sac, le sac ? j'y vois rien, je leur ai bien donné le change, à boire comme ça !

Il doit croire que je suis plus bonne à rien. Erreur, mon petit ange, j'ai l'habitude d'être saoule, arrive très bien à me contrôler. Parfaitement ! Le problème, le problème, c'est la vue, je vois trouble et puis je vois sombre, et flou... Chuuut, ils parlent fort, qu'est-ce qu'ils disent ? c'est le docteur...

Il a dit qu'il prenait la voiture, qu'il allait au village, une urgence...

Maintenant, j'ai peu de temps, parce que je me dis que tout est fichu, plus de voiture, fichu, alors tant pis, je téléphone au lieutenant qu'ils viennent me chercher. Police ! Je suis recherchée pour vol, je suis dangereuse, vite, prison, pas rester ici une seconde de plus, mais la tempête a coupé le téléphone, alors obligée de me sauver, obligée de marcher dans la neige...

Entends des rires... des gens rient, des gens font une blague, ils rient fort, qui est-ce qui rit ? La fenêtre, vite, incendie, non, pas incendie, qu'est-ce que je raconte ?

Croyaient me saouler, pauvres imbéciles... même me droguer peut-être... Il monte l'escalier, il monte l'escalier en riant, qui est là ? qui monte l'escalier ? qui

rit derrière ma porte ? c'est le loup, c'est le loup, je dois
me dépêcher, je dois reprendre mes esprits, quelqu'un
tourne la poignée, c'est fermé à clé, quelqu'un tourne la
poignée, je le sais, je suis pas folle !

J'y arriverai pas, je vais tomber en bas, je vais mourir de froid dans la neige, le drap, bien se tenir au drap,
il donne des coups dans la porte, frappe, frappe, je suis
partie, plus maligne que toi, c…!

…

Voilà, je suis en bas. Le froid me coupe le souffle,
je me sens mieux, plus cette envie de vomir, je vois
mieux, mais la neige est si épaisse, je… il y a
quelqu'un à ma fenêtre, je vois une silhouette à ma
fenêtre, heureusement que je suis partie, il m'aurait
tuée, la porte du jardin, je… froid… où elle est, est-ce
que personne ne viendra à mon secours, est-ce que personne ne viendra m'aider ? Courir vers la porte.

Ah !

J'ai mal. Mal. J'ai mal dans la poitrine, tout est noir,
je… la neige est froide, je suis dans la neige, je suis
couchée dans la neige, je, quelque chose de chaud sous
moi, chaud… ça me coule sur les doigts… pas juste, je
devais pas perdre, pas juste, partie inégale, Papa… pas
ma faute… je vais… non, je ne veux pas, il y a du
bruit, j'ai de la neige sur le visage, du bruit tout près,
quelqu'un vient, c'est lui !

Je vais savoir… un ricanement… c'est lui, un
souffle, je vais savoir, mourir, je veux pas, encore une
chance, donnez-moi encore une chance… Idiot, me
trouveront dans la neige, sauront bien pas suicidée,
t'arrêteront, te pendront, ils te pendront !

Là-bas, autour de la voiture, appeler, appeler, vite, m'entendent pas avec la tempête, lâche-moi, salaud, lâche-moi ! Là-bas avec le docteur, MAIS C'EST IMPOSSIBLE, ils sont…

– Adieu, Jeanie, j'espère que tu crois à la résurrection…

C'est pour ça que Sharon disait… que je suis bête, j'ai toujours été bête, toujours su, maintenant trop tard, adieu, Jeanie, adieu, si je pouvais atteindre la rue… sert à rien. Foutue, foutue…

*　　*
*

Le 28 décembre au matin, le corps de Jeanie Morgan, trente et un ans, employée de maison, a été retrouvé sans vie dans sa chambre. Il semble que la jeune femme se soit tiré une balle dans la poitrine.

L'enquête a conclu à un suicide motivé par l'inculpation qui allait lui être signifiée. Jeanie Morgan était en effet recherchée pour vol avec effraction et soupçonnée d'avoir assassiné un enfant de six mois au cours d'une crise d'éthylisme.

Jeanie Morgan a été enterrée au cimetière de la petite ville où le drame s'est produit.

L'inhumation a eu lieu sous une terrible tempête de neige et le cercueil de chêne noir, offert par la famille qui l'employait, était porté par les quatre fils du docteur March.

Il existe d'ailleurs une série de photos de l'enterrement, prises par le reporter du quotidien local. On y voit le docteur, sa femme et les quatre jeunes garçons, la tête courbée sous la neige, écouter l'office funèbre.

Sur l'une d'entre elles, fort curieuse, le docteur, sa femme, les jeunes garçons ont tous la tête relevée et tournée vers l'objectif. Et, par quelque aberration, on a l'impression qu'ils sourient.

Épilogue

L'homme, faiblement éclairé dans la pénombre, souriait. Il tapota le dossier avant de le reposer sur la table. Je l'interrogeai :

– Eh bien, quelle est votre opinion ?

Il répondit aussitôt :

– Je pense que c'est complètement idiot... Il est évident que les quatre fils du docteur March n'ont pu être complices de la mort de cette fille. Dites-moi, où avez-vous trouvé ça ?

– C'est un ami qui me l'a envoyé. Pourquoi dites-vous que cela est idiot ?

Il fit craquer ses doigts.

– Parce que, voyez-vous, il n'y a pas de fils du docteur March : ni un, ni deux, ni cinq. Ils sont morts depuis longtemps. Jeanie était leur bonne. Une fille dévouée, mais instable. Alcoolique au dernier degré...

« Un beau matin, ils sont partis patiner sur le lac, qui était gelé. Elle avait bu... elle les a oubliés. Ils sont allés jouer sur la partie interdite du lac, la glace a cédé. Les cinq jeunes enfants, de beaux quintuplés... vous savez que c'est très rare, les quintuplés ? ils avaient une dizaine d'années, je crois, se sont noyés.

« Après, plus rien n'a été pareil. La pauvre Mme March... et le docteur, lui aussi, est devenu étrange, mais pour Jeanie ce fut plus grave. Je suppose que son esprit dérangé n'a pu supporter cette lourde culpabilité. Elle a imaginé, dans son délire, que les enfants vivaient toujours, elle s'est inventé qu'ils la persécutaient et elle s'est mise à tuer, et tuer encore...

– C'est un peu tiré par les cheveux, vous ne croyez pas ? Tout serait faux, alors ?

– Tout. D'ailleurs, comparez les écritures... Mais tout ce qui touche à l'esprit humain est toujours un peu tiré par les cheveux, n'est-ce pas ?

J'acquiesçai. Il avait fichtrement raison. Il se renfonça dans son fauteuil avec un sourire satisfait. Il faisait doux. La nuit tombait. Je rangeai ma carte de reporter de *Detective Stories* dans mon portefeuille et me levai. Avant de sortir, je me retournai, lui fis un signe de la main et lui dis doucement :

– Au revoir, Zacharias.

Il ne me répondit pas.

Je regardai ce visage éclairé par la lueur de la lune montante. Les yeux fixes brillaient. La bouche rouge se tordait dans un rictus cruel, découvrant les dents. Les mains tremblaient.

Je me tournai vers le docteur Smith. Il haussa les épaules :

– Et voilà. C'est tout ce qu'on peut en tirer.

– Il a l'air si calme, pourtant.

– Ne vous fiez pas à son air tranquille. Il est extrêmement dangereux. Il ne faut jamais rester seul avec lui.

J'étais perplexe :

— Mais est-ce qu'il a vraiment… ?

— Vraiment tué ? Oui, vraiment tué plus d'une vingtaine de personnes, et de façon particulièrement sauvage… jusqu'à cette Jeanie Morgan, la pauvre fille, la seule qui se soit doutée de quelque chose ! Vous avez écouté son enregistrement ? Quel gâchis !

J'avais du mal à détacher mes yeux du visage blême.

— Oui, j'ai lu son journal aussi… Elle ne risquait pas de surprendre l'assassin, elle le croyait mort.

— Il entrait tour à tour dans la peau de chacun de ses frères, ça lui permettait de se déplacer à son aise et incognito. Une version sophistiquée du 400 mètres-relais… Voilà pourquoi la nourriture disparaissait : il mangeait la nuit en cachette quand il n'avait pas pu venir à table. En fait, pour toutes les actions publiques de son existence, il était obligé d'attendre qu'un de ses frères veuille bien lui céder sa place. Il changeait de coiffure, de vêtements, et le tour était joué. Mais il ne pouvait rien vivre de personnel. Il ne pouvait que jouer des rôles écrits pour d'autres. Sauf quand il laissait libre cours à sa furie homicide.

J'imaginai un instant ce type prisonnier du bon vouloir de ses « jumeaux ». La haine et le ressentiment accumulés dans son esprit malade. Je tournai une page de mon calepin :

— Comment faisait-il pour se dissimuler dans la maison ?

— Il vivait dans un cagibi contigu à la chambre de sa mère. On y accédait par le fond de la penderie.

L'idée de ce fou sanguinaire au sourire fixe en train d'observer la pauvre Jeanie Morgan à travers la penderie me fit froid dans le dos. Dire qu'il devait être souvent près d'elle à la toucher...

Le docteur Smith reprit :

— Voyez-vous, quand sa mère s'est rendu compte qu'il était anormal, après le meurtre de cette petite fille brûlée vive et autres bricoles particulièrement sadiques, elle a décidé de le cacher avant qu'il ne se fasse prendre et reléguer toute sa vie dans un asile. Elle était prête à tout pour le protéger, peut-être parce qu'il avait failli mourir en venant au monde ? Quoi qu'il en soit, ils ont manigancé le faux accident du lac : le corps était censé être irrécupérable avant la fonte et, à la fonte, on a prétendu qu'il avait été entraîné par des courants. Mais, tout cela, la fille Morgan l'ignorait. Ils ont enterré un cercueil vide et Zack a commencé sa vie cachée.

— Mais pourquoi avoir introduit Jeanie Morgan chez eux ?

— A cause de l'accident cardiaque de Mme March. Il lui fallait une aide. Ils ont pensé que, avec un peu d'habileté, Jeanie ne s'apercevrait pas qu'il y avait un locataire supplémentaire. Ils ignoraient que Zack avait la manie de tenir un journal et que Jeanie le découvrirait... Pour lui, la venue de Jeanie a été terrible : jusqu'alors, il n'était mort que pour le monde extérieur, maintenant, il lui fallait cesser de vivre dans sa propre famille ! Cela a dû contribuer un peu plus à déglinguer son psychisme, d'où l'accélération des pulsions meurtrières. S'il s'identifiait tellement à ses frères, c'est tout simplement parce qu'il n'existait plus qu'à travers eux.

Il l'avait d'ailleurs écrit à Jeanie : « Je n'existe pas. »

– Que sont devenus les frères ?

– Ils ont plaidé l'ignorance des actes commis par Zack. Ils ont prétendu qu'ils le croyaient simplement un peu dérangé. Ils ont été acquittés. Le docteur et sa femme se sont suicidés. Il s'est pendu, elle a pris des barbituriques.

« En fait, si Lucas, le chef de la police – à l'époque, il n'était que lieutenant –, ne l'avait pas coincé, il aurait continué indéfiniment. L'attitude de la fille Morgan lui avait semblé étrange, ainsi que la proximité et la fréquence des meurtres. Bien entendu, à ce moment-là, il n'avait pas eu connaissance des notes et des enregistrements...

Je l'interrompis :

– Qui les avait ?

– On les a retrouvés dans le bureau du docteur, après que ce dernier s'est pendu... Il a dû essayer de protéger son fils jusqu'au bout, avant de craquer, mais je ne sais pas pourquoi il ne les avait pas détruits...

« Mais ce n'est pas grâce à ça que Lucas l'a eu. Non, s'il l'a épinglé, c'est grâce à cette pauvre Jeanie, finalement !

« En effet, la fameuse nuit où Jeanie a tenté de s'enfuir en passant par la fenêtre et a été abattue par Zack, elle avait tout de même trouvé un moyen d'avertir le lieutenant Lucas. Elle portait sur elle une lettre destinée au lieutenant, que Zacharias lui a subtilisée. Mais elle avait aussi, protégée dans du plastique, une petite boulette de papier, comme celles dont on se sert pour communiquer en prison ou à l'école. Tenez, en voici la transcription.

Il me tendit une feuille de papier que je parcourus rapidement :

Au lieutenant Lucas,

J'aime pas trop penser que quand vous lisez ça je suis morte mais, bon, c'est la vie.

Je sais que c'est pas très distingué d'utiliser mon estomac comme boîte aux lettres, seulement c'est le seul endroit que le tueur pourra pas atteindre.

Maintenant, vous savez que c'est pas un suicide.

Vengez-moi.

Adieu pour toujours, faut que j'y aille.

Votre Jeanie.

Pendant un court instant, j'eus la sensation que Jeanie Morgan était là, toute proche, puis l'impression se dissipa. Je rendis la feuille au docteur Smith, qui reprit :

— Quand elle a compris qu'elle allait mourir, elle a avalé la boulette. Et il n'y a pas de facteur plus consciencieux qu'un médecin légiste... Ah, ah, ah ! Regardez-le... Il est beau, n'est-ce pas ? Souriant, calme, poli... Le visage paisible de la folie pure. Le doux sourire des ténèbres.

Le judas s'est refermé lentement sur la silhouette qui, immobile dans le crépuscule, fredonnait doucement un cantique.

Dehors, c'était l'été. Je respirai un bon coup pour

chasser l'impression de ce regard carnivore braqué sur mon dos et le monde me parut de nouveau chaud, joyeux et vivant.

Je pouvais y aller. J'avais mon article.

Table

IMPRESSION : BUSSIÈRE CAMEDAN IMPRIMERIES À SAINT-AMAND
DÉPÔT LÉGAL : MARS 1999. N° 36715-2 (991586/1)

Collection Points